CW00924013

HELA'R CADNO

John Hughes

GOMER

Argraffiad cyntaf— Mawrth 1996

ISBN 1 85902 370 3

Dymuna'r cyhoeddwyr gydnabod cymorth
Adrannau Cyngor Llyfrau Cymru.

Argraffwyd gan Wasg Gomer, Llandysul, Dyfed

I Beti,
Linda, Chris a Tom

DIOLCHIADAU

I'r cyn-Dditectif Uwch Arolygydd Roy Davies o *Regional Crime Squad* De Cymru, brodor o Bendein, am wthio'r cwch i'r dŵr yn y lle cyntaf

I Richard Thomas, ar un adeg yn Brif Gwnstabl Heddlu Caerfyrddin a Cheredigion, am ei garedigrwydd yn caniatáu imi ffureta drwy hen gofnodion yr achos, a chael eu defnyddio fel y mynnwn.

I John Davies, Uwch Archifydd yn Adran Archifau Cyngor Sir Dyfed, am fy nghynorthwyo.

I Gwerfyl Pierce Jones, Dewi Morris Jones ac Elgan Davies o Gyngor Llyfrau Cymru, Aberystwyth, am eu cydweithrediad parod.

I Robin Williams am gyfieithu llithoedd o ffeithiau sychion, a'u haddasu'n stori afaelgar.

I Dyfed Elis-Gruffydd, Gwasg Gomer, Llandysul, am gymorth amhrisiadwy tra bûm yn paratoi'r gwaith, ac iddo wedyn lywio'r cyfan trwy'r wasg nes dod allan yn gyfrol gymen.

Yn olaf, ac eto'n flaenaf, i Beti fy mhriod, am ei hir amynedd a'i chefnogaeth tra bûm yn blerychu'r cartre gyda phentyrrau o ffeiliau a phapurach wrth ysgrifennu'r stori ar y cychwyn.

Mawr ddiolch i chi i gyd.

RHAGAIR

Pleser ac anrhydedd enfawr yw cael llunio'r rhagair hwn gan fy mod wedi adnabod yr awdur ers dros ddeugain mlynedd ac yn ei edmygu a'i barchu'n ddiffuant.

Mab fferm, fel minnau, yw John Hughes. Oherwydd amgylchiadau'r tridegau cynnar, gorfu iddo adael yr ysgol yn bedair ar ddeg oed, ond ymdrechodd yn daer ac fe gyflawnodd lawer drwy ei addysgu ei hunan. Yn bedair ar bymtheg oed ymunodd â Heddlu Môn ac yn ystod ei yrfa, a fyddai'n ymestyn dros gyfnod o ddeng mlynedd ar hugain, fe'i dyrchafwyd drwy'r rhengoedd i swydd Ditectif Brif-Oruchwyliwr a Phennaeth C.I.D. Heddlu'r Gogledd, yn y blynyddoedd ola.

Yn Heddlu Morgannwg a De Cymru y bûm i am wyth mlynedd ar hugain cyn treulio'r pum mlynedd olaf o'm gyrfa yn Brif Gwnstabl Cynorthwyol Heddlu'r Gogledd. A minnau'n llanc ifanc yng nghefn gwlad Trimsaran, Sir Gaerfyrddin, cofiaf imi gael fy syfrdanu gan lofruddiaeth John a Phoebe Harries wrth law eu nai 'Ronnie Cadno', ond roedd hynny cyn i mi gyrraedd Canolfan y Swyddfa Gartref i hyfforddi plismyn ym Mhen-y-Bont ar Ogwr ym 1954 yn recriwt diniwed a dibrofiad. Hyfforddwr fy nosbarth i oedd Arolygydd o ogleddwr ac, yn ôl y recriwtiaid o'r Gogledd, yn ddyn na ddylid ei ddiystyried na'i groesi. Y peth cyntaf a ddysgom wrth draed y gŵr oedd nad oedd lle i ddiogi, bod disgyblaeth yn rhinwedd ac mai perffeithrwydd oedd y nod y dylid ymgyrraedd ato ar bob achlysur. Ie, Inspector John Hughes, yr awdur yma, oedd yr hyfforddwr hwnnw.

Yn fy mywyd fe'm bendithiwyd yn helaeth â rhieni a magwraeth ragorol, priod a theulu annwyl sy'n gefn ac yn gysur i mi, ond y peth gorau a ddigwyddodd i mi, ac i lu o recriwtiaid eraill, oedd y lwc o gael John Hughes i osod y sylfeini cadarn fel y gallem ddatblygu yn weision gweithgar, teg ac onest. Ei bwyslais ar gyflawni ein dyletswyddau cyfreithiol, a hynny â mesur helaeth a phriodol o degwch a synnwyr cyffredin, fu'n ddylanwad parhaol arnaf i, ac mae fy niolch i, ynghyd â llu o blismyn eraill, o ba reng bynnag, drwy Gymru a'r gororau, yn ddifesur iddo.

Hyfrydwch mawr i mi yw cadw cysylltiad â John a'i briod, Beti, ac nid syndod i mi ei fod wedi troi at lenydda ar ôl ymddeol o'r heddlu. Prysur mewn meddwl a gweithred fu fy hen feistr a'm cyfaill erioed. Fedr hwn ddim bod yn segur, a hyn yn tarddu o'i ddiddordeb a'i lwyddiant fel ditectif.

Mae hanes llofruddiaeth John a Phoebe Harries yn rhan nodedig o lên gwerin yr hen Sir Gâr, a hawdd sylweddoli wrth ddarllen y gyfrol hon, paham y dewisodd John adrodd y stori. Bu'r digwyddiad trist yn destun trafod, dadl ac ymgom drwy'r ardal am flynyddoedd lawer, ac mae'r awdur i'w ganmol am archwilio'r hanes yn drylwyr, yn ôl ei arfer, a'i groniclo mewn modd darllenadwy a difyr.

Ar ôl cael fy nghodi yn llanc ifanc yn yr ardal lle y cyflawnwyd y drosedd, ac wedi i John Hughes gael y fath ddylanwad creadigol ar fy ngyrfa, mae'r pwt hwn o ragair wedi rhoi'r cyfle i mi ddod â dau ben llinyn ynghyd.

Mae'r gyfrol hon yn adrodd pennod bwysig yn hanes torcyfraith yn Sir Gaerfyrddin, ac mae'n llawn haeddu ei lle ymysg cyfrolau hanesyddol y sir. Yn ogystal â bod yn stori dditectif hollol wir, mae hi hefyd gyda'r gorau a'r difyrraf o'i bath. Darllenwch a mwynhewch.

Graham Ll. Jones
cyn-Brif Gwnstabl Cynorthwyol

RHAGYMADRODD

Yn ei lyfr *Murder and its motives*, dywed yr Americanwr, F. Tennyson Jesse, 'It has been observed, with some truth, that everyone likes a good murder story'. Wrth i minnau gyflwyno *Hela'r Cadno,* fel Shakespeare yn *Titus and Andronicus*, mentraf annog y darllenydd, 'Confer with me of murder'.

Mewn darlith i'r *Society of Connoisseurs in Murder* yn yr Unol Daleithiau, dywedodd Thomas De Quincey, arbenigwr ar astudio llofruddiaethau, 'Murder is considered as one of the Fine Arts!' Ychwanega De Quincey ei bod yn anodd iawn diffinio'r hyn sy'n gwneud stori fwrdwr dda, boed honno'n ffaith neu'n ffug. Ond awgryma y gall yr *aficionado* fesur ei gwerth yn ôl yr iasau sy'n codi gwallt pen y darllenydd. Pwy a ŵyr nad ias felly a barodd i Wasg Gomer fentro cyhoeddi'r gyfrol hon.

Ers dechrau'r ganrif, bu sawl astudiaeth ar wahanol agweddau'r weithred o lofruddio. Ceisiwyd dadansoddi meddwl y llofrudd, ei ffordd o gynllunio rhagllaw, ei reswm dros ladd, ei ddull o guddio'r corff, ei alibei, a'i ymgais i ymddihatru oddi wrth y cyfan er mwyn camarwain yr heddlu.

Mae'r gwahanol resymau dros lofruddio yn lleng, e.e. nwyd, eiddigedd, rhyw, cyffuriau, alcoholiaeth, hwliganiaeth a hyd yn oed ladd am dâl. Rhesymau pellach yw helyntion teuluol, colli tymer a salwch meddyliol.

Eto, nid unrhyw un o'r achosion uchod oedd cymhelliad y llofrudd yn y llyfr hwn. Wrth symud o bennod i bennod, byddwch yn dod i weld mor gythreulig y gall y cymhelliad hwnnw fod. Ac wrth hela'r 'cadno' ar hyd a lled yr ardaloedd, byddwch yn gweld fel y parodd ei gyfrwystra ddryswch a thrafferthion costfawr i'w ymlidwyr.

Heb ddatgelu rhagor, ar y naill law efallai y dylwn awgrymu mai annoeth i'r gwangalon fyddai ymgodymu â'r stori cyn mynd i gysgu. Ar y llaw arall, gallaf feddwl am sawl un yn methu â rhoi'r gyfrol o'r neilltu unwaith y clyw utgorn yr heliwr yn atseinio'r 'tali-ho'.

John Hughes

RHESTR LLUNIAU

Detholiad prin yw'r uchod o'r darluniau lleiaf erchyll allan o sawl albwm a ddarparwyd yn wir broffesiynol gan y Rhingyll Dditectif Fred J. Jones, o adran y C.I.D., Heddlu Sir Gaerfyrddin, er hwylustod y llys.

Rwy'n cydnabod fy niolchgarwch diffuant i'r cyn-Brif Gwnstabl Richard Thomas am y fraint o'r cyfle i'w copïo, a'u defnyddio yn fy ymgais i groniclo gwaith anhygoel heddlu yr hen Sir Gâr yn datrys yr achos cymhleth hwn.

1

'Ffôn, Phoebe!' galwodd John Harries o ddrws cefn ffermdy'r Derlwyn.

Safodd am eiliad neu ddau gan edrych i gyfeiriad y beudai a thraw am y cae cyn bloeddio'n uwch, 'Phoebe! Ffôn!' Ond am fod ei briod yn amlwg allan o'r clyw, brysiodd yn ôl i'r tŷ i egluro hynny wrth ei chwaer-yng-nghyfraith oedd ar y teleffon o Grymych.

Cyn bo hir, pan glywodd sŵn traed ei wraig yn camu ar gerrig y clos, aeth allan ati a gofyn,

'Chlywest ti mono i'n galw?'

'Na chlywes i,' atebodd Phoebe, 'beth o'dd yn bod, 'te?'

'Dy whâr, Maggie, o'dd ar y ffôn. Ond do'dd hi ddim am i mi dy drwblo di os o't ti ar waith yn y tai-mas. Neith hi ffono bore fory, medde hi.'

'O, wel! Dim byd pwysig iawn, fel'ny,' sylwodd Phoebe. 'Yn y lleithdy'r o'n i, siŵr o fod, yn golchi'r llestri godro. Ne, falle 'mod i lan y parc . . . fues i draw 'na i weld o'dd yr iet wedi'i chau rhag i'r da ddod trwyddo.'

'Whare teg i ti,' meddai John yn gefnogol. 'Dere miwn, inni gael dishied fach o de . . . ma'r tegil wedi hen ferwi.'

* * *

Byddai'n ddiddorol craffu mwy ar dafodiaith hyfryd John a Phoebe yn y rhan honno o Sir Gaerfyrddin. Eisoes, fe gafwyd 'clos' (iard, buarth, *farmyard*); 'whâr' (chwaer, *sister*); 'tai mas' (*outbuildings*); 'lleithdy' (llaethdy, *dairy*); 'parc' (cae, *field*); 'iet' (giât, *gate*); 'da' (gwartheg, *cows*).

Hawdd fuasai nodi ymhellach eiriau fel 'cware' (chwarel, *quarry*); 'fflŵr', 'can' (blawd, *flour*); 'boidi', 'glowty' (beudy, *cowshed*); 'cig eidon' (*beef*), ac ymlaen felly gan ddyfynnu'n ddifyr ddwsinau lawer o eiriau tafodiaith sydd ar wefusau'r trigolion hyd heddiw. Ond ymatal sydd raid.

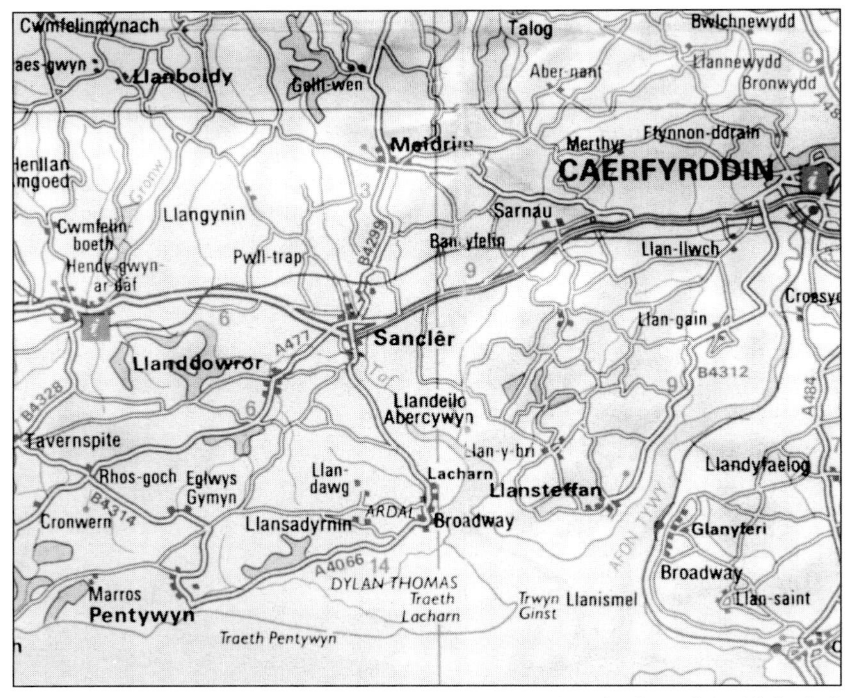

(rhan o fap *Cymru,* Cyhoeddiadau Stad)

Map o ardal y trychineb.

Er bod 'Sir Gâr' yn ddarn pur helaeth o ddaear Cymru, dim ond ar driongl bychan yng ngwaelod gorllewinol y sir y bydd y gyfrol hon yn canoli. O roi'r pigyn uchaf ar Lanboidy, dyweder, a thynnu llinell ar osgo at i lawr nes cyrraedd Pendein ar lan y môr, dyna ffurfio un ochr i'r triongl. Am ei waelod, gweithier llinell o Bendein tua'r dwyrain nes dod i Dalacharn. O'r fan honno, anelu at i fyny am gyfeiriad Meidrim nes ymuno unwaith yn rhagor â'r pigyn uchaf yn Llanboidy. Dyna'r triongl yn fras, tair llinell, a phob un oddeutu deng milltir mewn hyd.

Yn croesi canol y ffigur, daw'r ffordd fawr brysur o dref Caerfyrddin gan basio ar hytraws drwy Sanclêr am Hendy-gwyn ar Daf a gyrru rhagddi wedyn tua pherfeddion gwlad Dyfed gynt.

Cyn symud ymlaen â'r stori gyfoes, beth am oedi munud i sawru peth o gyfaredd y gorffennol ar y clwt bychan hwn o dir sydd ag un ochr iddo'n ceseilio ar ffin yr hen Sir Benfro? Fel enghraifft, bydd Hendy-gwyn ar Daf yn dwyn atgof am Hywel Dda a'i gyfreithiau o'r ddegfed ganrif. I fyny tua Meidrim wedyn, dyna'r dyfal Stephen Hughes a drefnodd i argraffu penillion y Ficer Prichard yn llyfr solet o dan y teitl *Cannwyll y Cymry*.

Fymryn islaw Sanclêr, cofir am Gruffydd Jones, Llanddowror, yr offeiriad a fu wrthi'n patrymu gwaith i'w Ysgolion Cylchynol ar hyd a lled Cymru. A thrwy weledigaeth y gŵr hwnnw y dysgodd oedolion y genedl ddarllen. Yn Llansadyrnin, fymryn i'r de o Dalacharn, y cododd Peter Williams, yr esboniwr Beiblaidd, a llwyddo trwy lawer helynt i argraffu pymtheng mil a mwy o Feiblau trymion. Bu Peter Williams mewn cyswllt ag enwogion fel Daniel Rowland, Williams Pantycelyn a Howel Harris. Ni ellir anghofio chwaith y wraig lednais a ddaeth i fyw i Dalacharn, a noddi'r diwygwyr yn nannedd mynych erlid. Madam Bridget Bevan oedd y foneddiges honno, ac amdani hi y sgrifennodd Howel Harris mor flodeuog mewn llythyr at ei frawd: '. . . 'twas a taste of Heaven to be with her.'

Yn ôl eto yn ardal Sanclêr a phlwyf Llanfihangel Abercywyn, down at gartrefi lle ganed dau fachgen o allu tra hynod. Thomas Charles oedd yr hynaf, ysgolor diwyd, ac ar wahân i'r 'Geiriadur' a luniodd, hwn oedd y gŵr a roes drefn mor effeithiol ar waith yr Ysgol Sul, a chael ei adnabod hyd heddiw gan y Cymry fel 'Charles o'r Bala'.

Cofir yr un mor annwyl am ei frawd, David; yntau hefyd yn od o alluog, rheolwr ffatri raffau yng Nghaerfyrddin, pregethwr nerthol, ac emynydd a roes i'r genedl berlau fel 'O! Iesu mawr, rho d'anian bur . . .' a 'Rhagluniaeth fawr y Nef . . .'

Nid yw'r paragraffau uchod ond yn prin gyffwrdd y gyfaredd oedd o gwmpas y gwŷr a'r gwragedd a fu'n llafurio mor angerddol ar hyd a lled y triongl hwn yn Sir Gaerfyrddin. Y syndod yw fod cornel mor fechan wedi magu cymeriadau mor fawr.

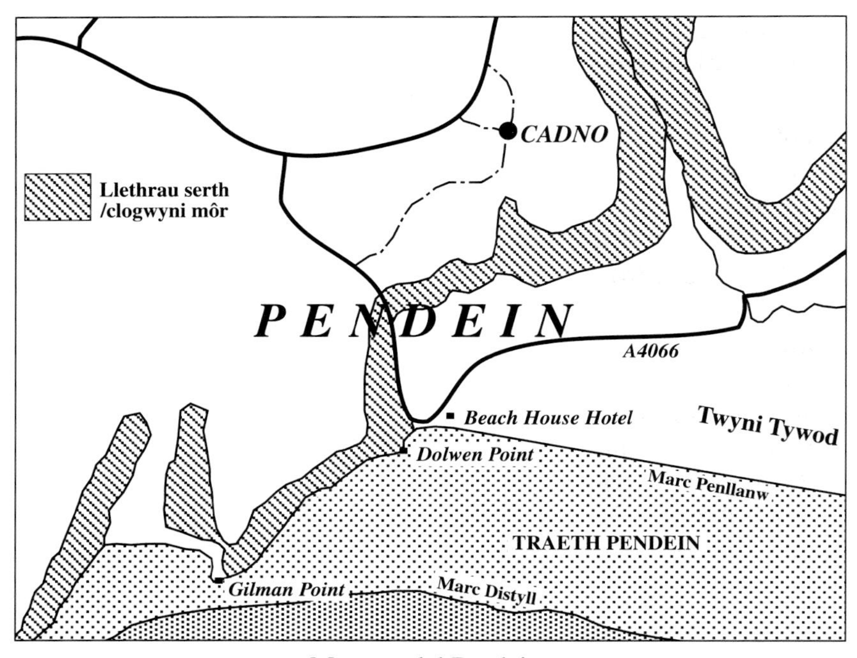

Map o ardal Pendein.

Erbyn ein canrif ni, gellir dweud i'r llain hon o ddaear ymenwogi mewn dulliau eraill. Dyna'r traeth caled a godidog wastad hwnnw, filltiroedd mewn hyd, sy'n rhedeg goris Pendein. Yn ei dro, bu'n gyrchfan i fodurwyr enwoca'r cyfnod rasio ar hyd-ddo er mwyn creu record o fod y cyflymaf ar bedair olwyn. Yn 1925, daeth Malcolm Campbell i draeth Pendein gyda'i gerbyd Sunbeam 'Bluebird'. Yn fuan wedyn, fe'i trechwyd gan Henry Segrave.

Ond yn 1926, daeth y Cymro, Parry Thomas, i'r traeth, a chyda'i gerbyd 'Babs', cyffyrddodd gyflymdra o 171 milltir yr awr. Record newydd sbon! Fodd bynnag, yn 1927, daeth Campbell yn ei ôl i Bendein, a llwyddo i godi'r rhicyn hyd at 174 yr awr. Wrth gynnig torri record Campbell ar wib frawychus, dyma gerbyd Parry Thomas yn llithro o'i gwrs, yn troi drosodd, ac yn y trychineb hwnnw cafodd y Cymro ei ladd. Claddwyd gweddillion 'Babs' yn nwfn tywod Pendein, ac yno y bu'r cerbyd o olwg pawb am ddeugain mlynedd a mwy, nes i Owen Wyn Owen, o Gapel Curig, gael caniatâd yn 1970 i gloddio 'Babs' allan o'r bedd tywod. Erbyn heddiw, mae'r cerbyd aruthr hwnnw wedi'i drwsio a'i adfer fel cof gwiw am anturiaeth Parry Thomas.

Dyna oedd cyffro mawr Pendein yn 1927.

Erbyn 1953, tro Talacharn oedd hi (ar begwn croes y triongl, fel petai). Y cyffro bryd hynny oedd hebrwng yr athrylith stormus, Dylan Thomas, i'w fedd ym Mynwent Sant Martin. Yn ddiweddarach wedyn, gosodwyd cofeb i Dylan yng Nghornel y Beirdd yn Abaty Westminster.

Serch hynny oll, roedd gan y flwyddyn 1953 gyffro o fath arall ar gyfer y triongl hwn, cyffro ac ynddo blygion sinistr o arswyd. Am ysbaid, diflannodd y gyfaredd o waelod y sir, ac yn ei lle daeth iasau o'r gynddaredd fwyaf milain.

2

Fferm fechan o un erw ar ddeg oedd Derlwyn. Safai ar fin y ffordd ym mhentref gwlėdig Llangynin, rhyw dair milltir i'r gogledd o Sanclêr, a deuddeg o dref Caerfyrddin.

Byddai un cip ar y lle wrth basio yn argyhoeddi dieithryn fod perchennog Derlwyn yn meddwl y byd o'i dyddyn. Yn ei dymor, byddai John Harries wrthi'n gwyngalchu ffrynt a thalcenni'r cartref nes bod muriau'r tŷ yn llachar olau o waelod isa'r palmant hyd at ymyl y bargodion uchaf. Felly hefyd y fynedfa lydan i'r iard: waliau cerrig yr adwy yn wynion lân. Am yr anifeiliaid, hwythau, gellid canfod yn syth fod graen ar bob creadur, y gwartheg godro hywedd yn glod i'w porthwr, a'r meysydd cnydiog yn arwydd pellach o'i hwsmonaeth dda.

Nid un o amaethwyr mawr cefnog Sir Gâr oedd John Harries, ond tyddynnwr tawel, bodlon ar ei libart fechan, yn llafurio'n galed onest o un pen blwyddyn i'r llall. A thrwy ddygn ddarbodaeth, byddai'n llwyddo bob gafael i gael deupen y llinyn ynghyd.

Un cymorth o'r tu allan i ennill ceiniog neu ddwy oedd y cytundeb hwnnw rhwng John Harries a'r Cyngor Sir iddo gludo ymaith gasgenaid ddyddiol o sbarion a golchion cinio'r ysgol yn y pentref—y *swil,* chwedl yntau. Byddai ef a Frederick Williams, Caerfyrddin, yn deall ei gilydd yn burion ar y mater hwnnw.

Rhan arall o'i ddifyrrwch, pan ddôi'r gofyn, fyddai crwydro caeau'r Derlwyn, gollwng ei ffured drwynfain i dwll yn y clawdd, a rhwydo nifer o gwningod. Gallai helfa felly dalu iddo mewn mwy nag un ffordd; bod yn bryd o fwyd ar ei fwrdd, efallai, neu droi'n elw o'u gwerthu'n gyplau. Ond yn bendant, byddai helfa o gwningod yn atalfa rhag i egin cnydau ar gyrion y maes gael ei bori allan o fod.

O ran corff, dyn cymedrol ei faint oedd John Harries, heb fod na byr na thal, ond yn llydan-ysgwydd a chadarn, iechyd haul a gwynt ar ei wedd, gyda direidi ysbeidiol yng nghornel ei lygaid. Am ei briod, Phoebe, gwraig fechan oedd hi, yn fain o gorff a

Ffermdy'r Derlwyn a'r fynedfa o'r ffordd fawr.

Y fferm o'r cae cefn.

hyfryd ei gwên, ond heb fod yn or-gryf ei hiechyd. Yn 54 mlwydd oed, roedd yn ifengach na'i gŵr o naw mlynedd.

Ganol y bore hwnnw wedi'r alwad deleffon o Grymych, eisteddai'r ddau wrth y bwrdd bach yng nghegin y Derlwyn i fwynhau cwpanaid o de. Ar egwyl felly, byddai'n hawdd gan y ddau drin a thrafod hynt y fferm, beth i'w brynu, beth gellid ei fforddio, pa elw a wnaed, pa ddyledion oedd i'w talu, a beth tybed fyddai'r fenter nesaf ganddyn nhw.

Yn wir, nid yn aml y caent lonydd liw dydd i sgwrsio am faterion preifat y cartref. Am fod y fynedfa i'r Derlwyn yn llydan agored ar fin y ffordd, byddai rhywun o'r pentref neu o'r ardaloedd cyfagos yn troi i mewn yn eithaf cyson; galw heibio i ofyn cymwynas, neu i gynnig cymorth, yn ôl y digwydd. Galw heibio'n fynych heb fod yn gofyn unpeth oll, dim ond troi i'r buarth neu i'r gegin am sgwrs.

Y bore hwnnw, fodd bynnag, roedd gan John a Phoebe Harries nifer o fân faterion i'w trafod. Wedi'r cyfan, onid oedd hi'n ddiwrnod pur arbennig ym mhentre Llangynin? Ped edrychid ar y calendr bras ar y wal, byddai hwnnw'n dangos mai 1953 oedd y flwyddyn, mai Hydref oedd y mis, ac mai Gwener yr 16eg oedd y dyddiad. Y noson honno, yng nghapel y Bryn gerllaw, byddid yn cynnal yr Ŵyl Ddiolchgarwch flynyddol am y cynhaeaf. Ac ar y diwetydd, byddai gŵr a gwraig Derlwyn, fel selogion eraill y fro, yn newid o'u dillad gwaith i'w dillad parch.

Ar y foment, aeth y sgwrs at fater cyrchu'r sbarion cinio o gegin yr ysgol, a Phoebe yn siarsio'i gŵr i holi'r athro pa bryd oedd gwyliau hanner-tymor y disgyblion, er mwyn bod mewn trefn gyda'r Cyngor Sir. Atebodd John y bwriadai alw yn yr ysgol ddechrau'r pnawn ar ôl i'r gofalwr glirio'r gegin a rhoi'r golchion yn y gasgen.

'Falle y do' i gyda ti yn y car newy',' meddai Phoebe. 'Bydd rhaid i fi alw yn y *Stores* yn y pentre am damed o gig eidon ar gyfer dy' Sul. A un ne ddou o bethe er'ill.'

Yna, cofiodd Phoebe beth arall. (Ychydig wythnosau cyn hynny, roedd y ddau wedi bod yn astudio'u sefyllfa ariannol i weld a allent fforddio prynu car. Nid un newydd, bid siŵr; roedd y rheini'n lled anodd i'w cael p'run bynnag. Trwy lwc, cafodd John Harries afael ar Austin A40 ail law, un hynod lân a solet ei gyflwr. Er iddo dalu rhai cannoedd amdano, roedd ef a'i briod yn meddwl y byd o'u menter ddiweddaraf gyda'r cerbyd du, graenus hwnnw.)

'John!' meddai Phoebe yn sydyn, a hithau newydd sylweddoli, 'wyt ti'n cofio nad oes gyda ni ddim car i gludo'r nwydde?'

'Odw!' atebodd yntau'n bwyllog. 'Ond fel y dealles i, mi fydde bois y garej yng Nghaerfyrddin wedi cwpla'r gwaith arno fe erbyn heddi. Falle y don' nhw ag e yma cyn cino . . . dyna wedodd Ronnie.'

'Falle *na* ddon nhw hefyd,' croesodd Phoebe ef, fymryn yn ddiamynedd. 'Beth o'dd yn bod ar y car, ta beth?'

'Wel . . . alla i ddim ag ateb hynny,' meddai John yn niwlog. 'Weles i ddim byd o gwbwl yn rong arno fe. Ond ro'dd Ronnie'n gweud fod rywbeth mawr o le ar weiring y lampe . . . ac yr âi e â'r car i'w riparo i Gaerfyrddin.'

'Ond mae hynny ers dyddie bellach,' dadleuodd Phoebe. 'Pa ddwyrnod o'dd hi pan a'th Ronnie ag e bant?'

'Dydd Llun, weden i,' atebodd John yn araf. 'Ie, dwyrnod Ffair Sanclêr oedd hi.'

'Ie, ie, dyna fe!' cytunodd Phoebe. 'Ond ro'dd Ronnie yma echdo gyda'r bachan hwnnw o Gaerfyrddin. Soniodd e rywbeth am y car pyrny?'

'Mi fydde'n barod erbyn heddi wedodd e . . . neu fory man pella,' eglurodd John. Ac yna, rhyw sibrwd o dan ei wynt wrtho'i hunan yn fwy na dim, 'os o's dal ar eirie Ronnie'.

3

Ronald Harries oedd y 'Ronnie' y soniai gŵr a gwraig Derlwyn amdano uwchben eu cwpanaid te y bore Gwener hwnnw. Byddai ef yn cyfarch y ddau bob amser fel Yncl Johnnie ac Anti Phoebe, er nad oedd gwaedoliaeth y berthynas lawn mor agos â hynny chwaith.

Mab ydoedd i deulu fferm Cadno ym Mhendein, naw milltir i'r de o'r Derlwyn. Byddai'n gweithio ar y fferm gyda'i dad a oedd hefyd yn gigydd. Ond yr oedd yn byw gyda'i deulu-yng-nghyfraith a'i wraig a'r plentyn mewn tŷ bychan o'r enw 'Ashwell', eto ym Mhendein.

Roedd Ronnie Cadno (fel yr adnabyddid ef yn y bröydd) yn llanc cydnerth, egnïol, pedair ar hugain oed. O ran pryd a gwedd, roedd rhywbeth yn drawiadol ynddo; wyneb golygus, gweddol esgyrnog, gwefusau llawn, dau lygad tywyll fflachiog, a'i drwch gwallt ar wasgar yn glwm du, tywyll, cyrliog.

Er bod Cadno, fferm ei gartref, yn hawlio llafur cyson oddi arno, eto byddai Ronnie yn wastad ar ryw grwydr hwnt ac yma. Galwai'n fynych iawn gyda'i ewythr a'i fodryb yn Llangynin, a theg yw dweud y byddai'n barod iawn ei gymwynas i gwpwl y Derlwyn. Os byddai ar John Harries angen offer i'r fferm, neu ddernyn newydd i'r tractor, dim ond crybwyll hynny wrth Ronnie, a chyn pen diwrnod neu ddau, byddai'r teclyn wedi cyrraedd. Roedd gan Ronnie y ddawn gyfrin honno o wybod ble i ddod o hyd i geriach felly—pa fodurdy, pa efail gof, pa siop, pa farchnad, pa domen sbwriel hyd yn oed.

Yn ddiweddar, er bod pethau'n brin, roedd wedi llwyddo i gael teiar newydd i dractor Derlwyn, ac yr oedd ar drywydd un arall iddo hefyd. Byddai John Harries, yntau, fel gŵr o egwyddor dda, yn talu iddo yn ei bryd, weithiau mewn arian sychion, dro arall mewn siec. Ar ddydd Mercher cyntaf mis Hydref, cafodd deiar newydd i'r car, ac am nad oedd pres rhydd ganddo yn y tŷ, setlodd gyda Ronnie y diwrnod hwnnw trwy sgrifennu siec am naw punt.

Y Llun dilynol, diwrnod Ffair Sanclêr, daeth Ronnie Cadno ar ei sgawt i'r Derlwyn. Safodd yn yr iard i edmygu'r Austin A40 a brynodd ei ewythr, a bu wrthi am hydoedd i mewn ac allan o'r cerbyd, a chraffu o dan y bonet gan archwilio hyn ac arall yn ddyfal. Er iddo awgrymu fod dau neu dri o ddiffygion ar y car, nid oedd John Harries ei hunan wedi sylwi fod unpeth oll o'i le arno, gan wybod ynddo'i hun y byddai ei 'nai' o bryd i'w gilydd yn honni pethau rhyfedd, ac yn dueddol o siarad ar ei gyfer. Ond y pnawn hwnnw, nid oedd Ronnie am gael ei anwybyddu, a mynnodd y byddai'n mynd â'r A40 i fodurdy yng Nghaerfyrddin am sylw. Ac felly yr aeth â'r cerbyd gydag ef y pnawn hwnnw.

Galwodd heibio fore Mawrth i ddweud na fyddai'r car yn barod tan ddiwedd yr wythnos. Ganol nawn Mercher, yr oedd yno unwaith yn rhagor; y tro hwn, roedd ef a Harold Brinkley (cyfaill iddo o Gaerfyrddin) wedi bod draw yn fferm Cilgynnydd yn Login, ar bwys Hendy-gwyn ar Daf. Yno'r oedd Lawrence Davies, brawd Phoebe Harries, yn amaethu.

Fel perthnasau'n helpu'r naill a'r llall, roedd Lawrence wedi cael benthyg tractor y Derlwyn a'r codwr-tatws, y *digger,* chwedl hwythau. Y dydd Mercher hwnnw yng Nghilgynnydd, gofynnodd Ronnie a gâi yntau hefyd fenthyg y *digger* a'r tractor, ac yn nhraddodiad cymdogaeth gynnes, fe'i cafodd ar unwaith. Felly, gyda'i gyfaill, Harold, gyrrwyd y peiriannau ar hyd y ffyrdd troellog nes cyrraedd yn ddiogel i iard Cadno ym Mhendein.

Cyn nos, roedd Land Rover Cadno ym muarth Derlwyn unwaith eto. Daeth Ronnie allan ohono, agor cefn y cerbyd ac estyn dwy sachaid o datws i 'Yncl Johnnie'. Ar ôl hynny, dadlwythodd nifer o fyrnau gwair a'u cludo i'r ysgubor.

Fel yna o'r naill ddydd i'r llall y byddai Ronnie Cadno wrthi'n llosgi egni a phetrol ar hyd a lled yr ardal. Nid oedd ball ar ei fynd, yn gweithio i hwn, yn cymwynasu i'r llall, ac ar dro yn benthyg gan arall. Y nos Wener honno, toc wedi chwech yr hwyr oedd hi, ac yntau ar neges dros ei dad o ddosbarthu cig y Sul i gartrefi'r cwsmeriaid, stopiodd Ronnie ei gar gyferbyn â Gorse Hill ym Mhendein, cydio yn y parsel cig ac allan ag ef o'i gerbyd.

Yng nghwrt Gorse Hill, daeth Gwyn Lewis, gŵr y tŷ, i'w gyfarch. Gweithiai ef gyda'r Weinyddiaeth Amddiffyn ym Mhendein, ac ar y diwetydd fel hyn yr oedd wrthi'n trwsio caets y ffured y byddai'n hela cwningod â hi, ac ar fin gorffen y dasg. Dim ond un cwrs ar fwrw'r hoelion i'w lle'n derfynol, a byddai wedi cael pen arni.

Wrth wylio'r gweithiwr yn bwrw'r hoelion, cyfeiriodd Ronnie at y morthwyl hwylus oedd yn llaw Gwyn Lewis. Estynnodd yntau'r erfyn iddo, morthwyl deubwys, pen crwn. Ar ôl astudio'r morthwyl, gofynnodd Ronnie tybed a gâi ef ei fenthyg. Braidd yn oediog oedd gŵr Gorse Hill i'w ollwng o'i afael am mai wedi'i fenthyg o'r *Ministry* yr oedd yntau. Ond yr oedd Ronnie'n pwyso'n daer amdano, am ei fod, meddai ef, 'jest y peth ar gyfer jobyn' oedd ar fynd ganddo.

'O'r gore!' cytunodd Gwyn. 'Ond cofia di ddod ag e'n ôl.' Ac ar ryw amod felly yr aeth Ronnie â'r morthwyl gydag ef i'r car cyn gyrru ymlaen at y cwsmer cig nesaf.

Tua'r un un amser, draw yn Llangynin roedd John a Phoebe Harries yn cerdded y siwrnai fer o'r Derlwyn am gapel y Bryn ar gyfer oedfa'r Ŵyl Ddiolchgarwch. Am yr awr nesaf, byddai'r gynulleidfa'n dal ar yr hen awyrgylch blynyddol a berthynai i'r ŵyl: adnodau'n sôn am fendithio'r Arglwydd 'am ei holl ddoniau', am y Crëwr yn 'ymweld â'r ddaear, ac yn ei chyfoethogi hi'n ddirfawr ag afon Duw', emynau'n sôn am glywed yr 'haul a'r lloer a'r sêr yn datgan dwyfol glod', a'r hen dôn 'Hosanna' yn rhoi gwefr i'r addolwyr wrth foli Arglwydd y cynhaeaf:

'Coronaist eto'r flwyddyn hon
Â'th dirion ddoniau'n helaeth . . .'

Wedi'r oedfa gynnes, daeth yr addolwyr allan o gapel y Bryn, ac yn ôl arfer cefn gwlad, tyrru hwnt ac yma i gyfarch y naill a'r llall, a chael sgwrs cyn troi tuag adref. O gwmpas hanner awr wedi saith, roedd John a Phoebe Harries yn dat-gloi drws y Derlwyn, ac wedi diosg eu cotiau uchaf, eisteddodd y ddau o flaen y tân cyn cael pryd bach o fwyd yn y man.

Fel yr oeddynt yn ymdwymo o flaen y tân, daeth cnoc ysgafn

ar y drws a cherddodd Robert Morris, Blaenffynhonnau, atynt i'r gegin. Byddai'n hen arfer gan ffermwr Blaenffynhonnau adael ei gerbyd yn iard Derlwyn dros awr oedfa capel y Bryn. Aed i siarad peth am y gwasanaeth Diolchgarwch, a chyfeirio at hwn a hon oedd yn y cwrdd. Yn y cyswllt hwnnw y crybwyllodd John Harries iddo gael ymgom â Justin James, Cluncar, un arall o amaethwyr bro Llangynin.

'Mae 'na sêl 'fory ar bwys Llanboidy,' eglurodd John Harries. 'Ac mae ar Justin a finne whant mynd draw i weld beth fydd ar werth yno. Dim ond gobeitho y daw Ronnie â'r car 'nôl cyn 'ny.'

Wedi trafod hyn ac arall am ofalon ffermio, a'r peiriannau diweddaraf oedd ar y farchnad, gan wfftio at eu drudaniaeth, clywyd sŵn cerbyd ar bwys y tŷ, a chyn pen dim, agorwyd y drws a daeth mab Cadno i mewn i'r gegin, a'i wallt yn dorchau cyrliog dros ei dalcen.

'Ronnie fachgen! Oes dim cyrdde diolch i'w cael tua Phendein 'cw?' holodd Robert Morris yn llawn direidi.

'Na! Wel . . . fues i ddim heno, ta beth!' atebodd yntau'n siriol gan dynnu sigarét o'i phaced a'i thanio.

'Wedi dod â'r car yn ôl wyt ti, ontefe Ronnie?' awgrymodd Phoebe Harries yn hanner chwareus a hanner gobeithiol.

'Nage, Anti Phoebe, y Land Rover sy 'da fi heno,' atebodd yntau. 'Ond mae'r Austin A40 'da fi lawr yn Cadno.'

Yn sydyn, o sylweddoli ei bod yn hanner awr wedi wyth, cododd Robert Morris i droi tuag adref. Ar yr un funud, safodd Ronnie ar ei lwybr gan bwyntio'i law i'r awyr a'r sigarét rhwng ei ddeufys.

'Allwch chi ddim â mynd!' meddai'n ddramatig. 'Mae'r Land Rover yn bloco'r van. Mi af i mas i rifyrso ichi!'

O weld y ddau ymwelydd ar fin troi allan i'r nos, cododd John a Phoebe Harries i ffarwelio â nhw yn y drws. Ond esboniodd Ronnie y byddai ef yn dod yn ôl i'r tŷ ar chwap.

Neidiodd i'w gerbyd nerthol, tanio'r peiriant a bacio'n fedrus nes bod mynedfa'r Derlwyn yn glir. Gyrrodd Robert Morris, yntau, ei fen fechan i'r ffordd gan bwyll, codi'i law fel arwydd o werthfawrogiad, ac yna sbarduno ymlaen i'r tywyllwch.

Trodd Ronnie drwyn y Land Rover tua'r fynedfa, parcio'n ddiogel yn yr iard, diffodd y peiriant, brysio'n ôl eto fyth i'r gegin, a chau'r drws yn dynn ar ei ôl.

Beth a fu'r ymgom rhwng y tri dros weddill y nos Wener honno? A fu trafod pellach am hynt yr Austin A40? Tybed yn wir a gytunodd y ddau i wisgo'u cotiau eilwaith, a mynd gyda Ronnie yn y Land Rover draw i fferm Cadno er mwyn cyrchu'r cerbyd adre'n ôl? Nid oes un cofnod ar gael o'r ymgom honno.

4

Ar y Sadwrn tawel hwnnw o hydref, roedd pentre bach Llangynin wrthi'n deffro gan bwyll. Ond yr oedd Rowland James, Bryn-ceisiaid House, yn ymlwybro'n ffwdanus tua buarth Cluncar, lle'r oedd ei frawd, Justin, yn amaethu.

Teimlodd Justin yn syth fod rhywbeth allan o'r cyffredin wedi gyrru ei frawd draw mor gynnar felly ar fore Sadwrn. O'i holi, daeth i ddeall iddo alw heibio i'r Derlwyn am 8.30, yn ôl y trefniant oedd rhyngddo a John Harries i ffureta cwningod y bore hwnnw. Ond canfu fod y fferm i gyd yn annaturiol o ddistaw.

Ar wahân i'r gwartheg.

Roedd buches raenus John Harries yn brefu'n anesmwyth dros y lle. Aeth Rowland James i guro ar ddrws y cefn. Dim ateb. Ceisiodd ei agor, a cherdded i mewn yn ôl ei arfer gannoedd o weithiau o'r blaen. (Onid oedd ef a John Harries yn gyfeillion cynnes o'u mebyd yn y fro?) Rhoddodd ei law ar y gliced a gwthio, ond roedd y drws ynghlo. Camodd yn ôl, edrych i fyny tua'r llofftydd, a rhoi bloedd i'r cyfeiriad. Dim ateb. Camodd draw heibio i dalcen y tŷ a rhoi cynnig ar guro'r drws ffrynt. Nid oedd symud ar hwnnw chwaith. Yna, bloeddiodd enw'i gyfaill unwaith eto, ond ni ddaeth ateb o unman.

Cerddodd at y stand laeth ar fin y ffordd. Roedd honno'n wag. Prysurodd tua'r buarth a sylwi fod cadeiriau'r gwartheg aflonydd yn llawnion. Oni fyddai John a Phoebe yn arfer godro'n ddefodol bob bore am saith o'r gloch?

Roedd y benbleth yn troi'n ias yn ei feddwl, ac fe'i cafodd Rowland James ei hunan yn tuthian o fan i fan o gwmpas yr adeiladau, yn craffu hyd gorneli pella'r beudy, agor drws y llaethdy a rhoi pen i mewn, pwnio drws arall—hwnnw ynghlo. Aeth i gyfeiriad yr helm wair a cherdded yn grwn o'i hamgylch. Neb. Nid oedd undyn byw ar gyfyl y lle.

Stori ddyrys felly oedd gan Rowland i'w hadrodd wrth Justin ar fuarth Cluncar. Mewn dryswch llwyr, aeth y ddau i'r tŷ i geisio ymbwyllo a rhoi cynnig ar esboniad a allai fod yn un cwbl resymol wedi'r cyfan. Ond er eu gwaethaf, ni allent ddychmygu am unrhyw ateb oedd a synnwyr iddo.

Ar ôl hir drafod, penderfynodd y brodyr mai mynd draw i'r Derlwyn i gael golwg eto ar y lle fyddai orau. Wedi cyrraedd yno a cherdded tua'r fynedfa, safodd Justin yn ei gam a phwyntio lawn hyd braich at gerbyd yn yr iard. Yr Austin A40!

'Wel, diolch i'r drefen! Maen nhw wedi dod 'nôl!' meddai Rowland James, a'r gollyngdod yn amlwg yn ei lais.

Roedd yr esboniad yn eglur bellach: fod John Harries a'i briod wedi troi allan yn fore, fore i gyrchu'r car y buont yn disgwyl mor hir am ei drwsio. Ar hynny, clywyd sŵn yng nghyfeiriad y beudy, tincial llestri godro, ac arwydd teg fod fferm Derlwyn wedi dod i'w threfn arferol unwaith yn rhagor. Brysiodd y ddau frawd yn llawen i'r beudy, ond pwy oedd yno mewn prysurdeb gwyllt ond Ronnie Cadno wrthi'n tywallt bwcedaid o laeth i un o'r caniau mawr.

'Godro braidd yn hwyr!' gwaeddodd Rowland James yn ddireidus.

Ymsythodd Ronnie o'i blyg dan led-wenu, ac aeth ati'n syth i danio sigarét a'i sugno'n bur galed.

'Ie!' chwarddodd trwy gwmwl o fwg. ''Neud y jobyn yma heddi yn lle Yncl Johnnie.'

'Oes rhywbeth yn bod arno fe?' holodd Justin.

'Na, na . . . mae'r ddau lawr yn Cadno . . . cael tipyn o wylie. . . a helpu i godi'r tato,' atebodd Ronnie cyn troi'i gefn ar yr ymwelwyr a mynd at fuwch yn y pen draw i ddatod yr aerwy o'i phen.

Trodd y ddau frawd yn reddfol i edrych ym myw llygaid ei gilydd, ond heb yngan un gair ar wahân i grychu talcen yn ymholgar, y naill ar y llall.

Wedi helpu Ronnie i godi'r caniau trymion i ben y stand laeth, ymadawodd y brodyr yn anghysurus o swta; Rowland James yn dal i bendroni, a Justin yn dyfalu tybed a fyddai John Harries yn cofio'i addewid y noson cynt i ddod gydag ef y pnawn hwnnw i'r sêl fferm ar bwys Llanboidy.

Ar ôl gwylio cerbyd y cymdogion yn diflannu heibio i'r drofa i gyfeiriad Llangynin, rhedodd Ronnie draw at un o'r siediau a galw ar rywun wrth ei enw i ddod allan, a'i ddilyn am y tŷ. Wedi cerdded o bellafoedd yr adeilad, daeth llanc pymthengmlwydd i'r golwg, a chroesodd yr iard i gyfeiriad y ffermdy. (Brian Powell oedd y bachgen, ac yn ei amser hamdden byddai'n helpu Ronnie ar fferm Cadno. Tuag wyth o'r gloch y bore hwnnw, roedd Ronnie wedi galw yn nhŷ-pen y tai Cyngor ym Mhendein, a gofyn i Mrs Martha Powell a fuasai ei mab yn cael dod i helpu gyda'r godro yn Llangynin am fod teulu draw yno'n ymweld. Ar fyr rybudd felly y codwyd y llencyn o'i wely, ac oherwydd y brys oedd ar fab Cadno, ni chafodd Brian frecwast gwerth sôn amdano. Cyn pen dim, roedd yn eistedd rhwng cwsg ac effro mewn Austin A40, gyda Ronnie yn rasio ar y daith annisgwyl hon i gyfeiriad Llangynin.)

Y bore Sadwrn rhyfedd hwnnw, wrth ganlyn ei 'feistr' ar draws buarth Derlwyn, sylwodd Brian fod gan Ronnie fwndel o allweddi, a chyn pen dim roedd wedi dat-gloi'r drws cefn. Aeth ati wedyn i chwilota trwy ddroriau a chypyrddau, ond pan ddigwyddodd y llanc di-feddwl droi'r radio ymlaen, llamodd Ronnie ar draws yr ystafell a pheri iddo'i diffodd ar unwaith. Yna, wedi cipio ambell declyn hwnt ac yma ar draws y tŷ, estynnodd gôt *gaberdine* i Brian fel anrheg, ac wedi hynny, aed allan dan gloi'r drws yn ddiogel.

Erbyn min hwyr yr un un Sadwrn, roedd Brian yno'n helpu gyda'r godro unwaith yn rhagor. Buont yno hefyd fore Sul, ac yna'r pnawn ar yr un perwyl. Felly y bu pethau y diwrnod dilynol yn ogystal. Ond ar y bore Llun hwnnw, galwodd cyfaill i'r teulu yn y Derlwyn—Dewi Williams, oedd yn amaethu ar fferm Rhydyceisiaid yn y gymdogaeth. O gael mai Ronnie oedd yno, gofynnodd ym mhle'r oedd John Harries a Phoebe. Yr ateb a gafodd oedd eu bod draw am egwyl yn fferm Cadno.

Yn ddiweddarach ar y dydd, yn tynnu at ddiwedd y pnawn erbyn hynny, daeth Desmond Bayliss, ffermwr Waunfach, Llanboidy, ar ei dro i'r Derlwyn. Er cryn syndod, sylwodd mai

Ronnie Cadno oedd yno, a llanc ifanc yn ei helpu gyda'r gwartheg. Peth cwbl naturiol oedd i'r ymwelydd, fel pawb arall, holi am hynt John a Phoebe Harries, perchenogion y lle.

Erbyn hynny, roedd gan Ronnie esboniad newydd am gyfeillion y Derlwyn: bod y ddau wedi mynd am ddeng niwrnod o wyliau i Lundain, ac iddo ef yn ystod y bore Sadwrn a basiodd eu danfon i orsaf y trên yng Nghaerfyrddin.

Wrth i Ronnie a'r cyfaill o Lanboidy gerdded hwnt ac yma o gwmpas yr adeiladau, daeth y sŵn rhyfeddaf o gilfach gerllaw. Wedi gwrando, a symud gan bwyll i'w gyfeiriad, gwelwyd caets bychan, a ffured felen yn crafangu'n wyllt i fyny ac i lawr hyd wifrau'r drws. Am i'r tridiau a basiodd lwyr ddrysu trefn arferol ei borthi, roedd yr anifail druan ar fin gwallgofi yn ei wanc am fwyd, ac o ganlyniad yn beryglus o ffyrnig. Yn fyr ei amynedd, plygodd Ronnie at bastwn ar bwys y wal, ac meddai'n wyllt,

'Gad inni roi clowten i'r hen ffured 'ma!'

'Na, na, paid!' plediodd Desmond. 'Rho bryd o fwyd i'r ffured fach.'

Ar hynny, daeth dwndwr peiriant trwm o gyfeiriad y ffordd, ac yn y man, gwelwyd lorri wartheg yn bacio'n araf trwy'r fynedfa tua'r buarth. Daeth y gyrrwr, Islwyn Howells, allan o'i gaban uchel dan gyfarch y dynion. (Yn gynharach y Llun hwnnw, roedd Ronnie wedi bod gydag ef yn Fron Haul, Llanddowror, yn trefnu iddo ddod â'i lorri i'r Derlwyn at ddiwedd y pnawn.)

Gyda chymorth nifer mor dda o ddwylo—Ronnie, Brian, Desmond Bayliss ac Islwyn Howells—ni bu'r dynion fawr o dro cyn llwytho buches Derlwyn, pump o wartheg graenus, i'r lorri fawr. (Yn ôl Ronnie, trefniant newydd gan John Harries oedd hwn; roedd ef i gludo'r gwartheg godro i'r Cadno, yn ogystal â rhai o beiriannau'r fferm, gan mai bwriad 'Yncl Johnnie' mwyach fyddai cadw anifeiliaid stôr yn unig.)

Ar ben chwarter awr arall, roedd buarth Derlwyn yn gwbl dawel, pob drws wedi'i gloi a phob gât wedi'i chau. Roedd Ronnie ar y ffordd, bellach, yn gyrru'r Austin A40, Brian wrth ei ochr, a lorri wartheg Llanddowror yn dilyn tua fferm Cadno. Ar y daith honno i gyfeiriad Pendein, rhoes Ronnie ddwy siars a barai ddryswch hollol i'r llanc, Brian: nad oedd ar unrhyw gyfrif i gyfaddef iddo ef fod ar gyfyl Derlwyn fore'r Sadwrn cynt. At hynny, roedd i ofalu cuddio'r gôt *gaberdine* yn ddiogel o olwg pawb.

5

Ar ôl nos Wener yr Ŵyl Ddiolch, roedd y dyddiau dilynol yn prysur droi'n artaith ym mro Llangynin. Aethai dirgelwch y Derlwyn i fudlosgi ym meddwl yr ardalwyr, gyda phawb wrthi'n stilio ac yn holi a dyfalu. I ble y diflannodd y pâr gwledig mor ddirybudd? I Lundain am wyliau oedd ateb moel Ronnie Harries, Cadno.

Er bod hynny'n bosibl, eto yn enw pob rheswm, nid oedd o gwbl yn debygol. Yn un peth, ni bu'n arfer gan y ddau fynd am wyliau o fath yn y byd; ni buont am egwyl hyd yn oed mewn treflan dawel, heb sôn am ddewis berw Llundain fawr. Peth arall, fel Cymry glân, Cymry uniaith i bob pwrpas, ni ellid dychmygu amdanyn nhw, o bawb, yn dod i ben â phethau mewn gorsaf anferthol fel Paddington, heb sôn am ffwndro yn labrinth metropolis y Sais. Dau syml o gefn gwlad wedi newid afon fach Cynin am y Thames Embankment; gadael cloddiau llonydd Derlwyn am chwyrn drobwll Piccadilly Circus. Roedd y syniad ynddo'i hunan yn trethu dychymyg yr ardalwyr hyd yr eithaf. Eto i gyd, yn ôl Ronnie Cadno, dyna'n syml oedd hanes John a Phoebe Harries.

Ar y naill law, gellid canmol Ronnie am deithio'n ôl a blaen, fore a nos, bob dydd o Bendein i Langynin er mwyn gwarchod fferm Derlwyn tra byddai ei berthnasau yn cael egwyl yn Llundain. Byddai yno'n godro'r da, yn porthi'r anifeiliaid, yn bwydo'r ieir a gofalu fod popeth mewn trefn. A bod yn deg â mab Cadno, roedd i'w edmygu am fynd i'r ffasiwn drafferth, a hynny oll yn ychwanegol at ei ofalon ei hunan ar fferm ei gartref yng ngwaelod y sir.

Eto, ar y llaw arall, roedd y perthnasau a'r cymdogion yn anesmwytho fwyfwy, ac fel y llusgai'r dyddiau heibio heb un achlust o hynt gŵr a gwraig Derlwyn, âi'r anniddigrwydd yn eu cylch yn ddwysach. Onid aeth y Sadwrn heibio? A'r Sul? Ac erbyn nos Lun, daeth yr hanes fod buches Derlwyn wedi'i chludo draw i Bendein.

Erbyn dydd Mercher, am na ddaeth oddi wrth y ddau yn Llundain na theleffon na cherdyn na llythyr, aed i gyswllt ag Isaac Harries, brawd John, oedd yn byw yn Caversham ar bwys Reading. Nid oedd yntau wedi clywed un gair oddi wrthynt, a mynnai ef yn bendant na fyddai ei frawd fyth, fyth wedi mentro i barthau Llundain fawr. A phe byddai wedi mynd ar antur o'r fath, buasai'n sicr o geisio galw heibio iddo ef, Isaac, yn Caversham.

Gyda'r benbleth yn ormes ar y teuluoedd, o'r diwedd, boed hi'n annaearol o hwyr neu beidio, penderfynodd Lawrence Davies, Cilgennydd, na allai ddal un munud yn rhagor. Am un ar ddeg y nos Fercher honno, roedd yn curo ar ddrws Gorsaf yr Heddlu yn Sanclêr. Agorwyd iddo gan y Rhingyll Perkins, ac wedi'i wahodd i mewn, eglurodd Mr Davies fod ei chwaer, Phoebe, a'i phriod, John Harries, ar goll ers pum niwrnod. Ychwanegodd hefyd fel yr oedd perthynas i'r teulu (Ronald Harries, mab Cadno, Pendein), wedi danfon y ddau i Gaerfyrddin ar gyfer dal trên i Lundain. A'i fod ef, Ronald Harries, wedi cymryd arno'i hunan i warchod eu fferm tra byddai'r ddau ar wyliau.

O'r noson honno ymlaen, ymfwriodd yr heddlu yn Sir Gaerfyrddin i'r dasg o ddatrys y dirgelwch. Erbyn un o'r gloch nawn drannoeth (Iau) roedd yr Arolygydd Frederick Fox, yng nghwmni cwnstabl arall, wrthi'n holi Ronald Harries yn ei gartref ym Mhendein. Arwyddodd yntau ddatganiad i'r swyddogion yn tystio iddo ddanfon John a Phoebe Harries i orsaf y rheilffordd yng Nghaerfyrddin ar gyfer mynd am wyliau i Lundain, ac i hynny ddigwydd ddydd Sadwrn, Hydref 17eg 1953, rhwng un ar ddeg o'r gloch a chwarter wedi yn y bore.

O holi yng ngorsaf reilffordd Caerfyrddin, canfu'r heddlu fod nifer o deithwyr wedi codi tocyn i Paddington y bore hwnnw, ond ni allai neb warantu gyda phendantrwydd iddyn nhw weld John a Phoebe Harries ar yr orsaf.

Erbyn nos Iau, roedd yr Uwch Arolygydd William Lloyd, ynghyd â nifer o blismyn, wedi cyrraedd Derlwyn yng nghwmni Lawrence Davies, Cilgynnydd. Am nad oedd modd agor drysau'r tŷ, rhoes Mr Davies ganiatâd i'r heddlu fynd i mewn trwy ffenestr yr oedd ei chlo yn lled fregus. Er chwilio'n daer, ni welsant arwydd fod un dim o'r cyffredin wedi digwydd yn y tŷ.

Cyn pen awr arall, daeth swyddog o dditectif yn ei gerbyd i fuarth Derlwyn, a Ronnie Harries gydag ef. Esboniodd mab Cadno fod ei ewythr wedi ymddiried holl allweddi ffermdy Derlwyn i'w ofal ef tra byddai yntau i ffwrdd yn Llundain. A chyda'r agoriadau hynny, dyma ddat-gloi pob drws o gwmpas siediau ac adeiladau'r fferm. Wedi chwilota'n ddyfal, ni chanfu'r heddlu unpeth amheus o gwbl.

Yn ystod dydd Gwener, fodd bynnag, daeth stori o fath arall i gynhyrfu'r ardal. Roedd Banc y Midland yn Sanclêr wedi gwrthod cydnabod siec am £909 a wnaed gan John Harries i J. L. Harries, tad Ronnie. Anfonodd Banc y Midland y siec i Fanc Lloyd yn Hendy-gwyn ar Daf gyda'r ddedfryd: *Signature differs, amount in figures requires drawer's confirmation.*

Os hon oedd y siec am £9 a gafodd Ronnie gan ei ewythr bythefnos ynghynt, yna byddai ganddo gryn waith egluro yn y man sut yr aeth naw punt yn naw cant a naw o bunnau. Mater arall i bwyso ar ei wynt fyddai esbonio sut y daeth i feddiant o'r Austin A40. At hynny oll, byddid yn dra phendant o gwestiynu Brian, y llanc o Bendein, a fu'n helpu Ronnie hwnt ac yma. Yn ei ddiniweidrwydd gonest, tybed beth fyddai ei atebion ef i'r holl ddryswch?

Gyda'r trannoeth yn Sadwrn, roedd yn rhyfedd meddwl bod wythnos lawn wedi mynd heibio heb unrhyw newydd am hynt gŵr a gwraig Derlwyn. Yn raddol, treuliwyd trwy'r ail wythnos yn ogystal, a'r pryder yn gnofa yng nghalon yr ardalwyr. Ond eto, roedd yr heddlu wrthi'n ddiorffwys yn cribinio pob gwybodaeth y gellid ei chael ar hyd a lled y triongl drylliog hwnnw yng ngwaelodion Sir Gâr. Trysorid pob manylyn o dystiolaeth, ac yn raddol gwelwyd fod ugeiniau lawer o'r trigolion yn barod i ddweud unrhyw beth a wyddent, bydded hynny'n ddibwys neu fel arall.

Soniai rhai iddyn nhw weld Ronnie Harries mewn gwahanol

fannau, ar wahanol adegau, ac ar wahanol oriau, weithiau'n fore, weithiau ar brynhawn, ac weithiau ym mherfeddion nos. Byddai hefyd mewn gwahanol gerbyd, ar dro yn ei Land Rover, bryd arall yn gyrru Austin A40 ei ewythr.

Am y modd y daeth y modur hwnnw i'w feddiant, roedd atebion Ronnie i hwn ac arall yn amrywio'n gwbl anghyfrifol. Esboniai wrth rai iddo fod wedi cael yr A40 gan ei ewythr, wrth eraill mai ar fenthyg yr oedd ganddo. Eglurodd wrth un cyfaill iddo brynu'r car hwnnw am £400 gan berthynas cyfoethog yng Nghaerdydd. Ond wrth arall, iddo'i brynu gan ffermwr o Landeilo. Pan alwodd Victor Terry heibio i fferm Cadno ar y 18fed o Hydref, sef y Sul cyntaf wedi diflaniad cwpwl Derlwyn, cafodd ef fersiwn wahanol eto fyth am yr Austin A40. Dywedai Ronnie, a'i dad yn ei ategu'r tro hwn, i'r car gael ei werthu iddyn nhw gan ŵr tafarn yng Nghaerdydd am £550, ac mai'r bwriad ganddyn nhw oedd cadw'r modur am ryw dri mis, ac yna'i werthu.

Er bod anghysondeb amlwg yn y dychmygion a'r honiadau ynglŷn â'r A40, eto glynai Ronnie yn gwbl ddiwyro wrth y stori bod ei ewythr a'i fodryb wedi mynd i Lundain am wyliau. Roedd yn dal wrth yr honiad hwnnw yn gyson drwy bopeth.

Pan ddaeth Dydd Sadwrn, Hydref 31ain, roedd pythefnos gyfan wedi pasio, a'r dirgelwch yn fwrn ar yr ardal. Ond y Sadwrn hwnnw, pan oedd ar ei negesau arferol yn cludo cig o gwmpas Pendein, dywedodd Ronnie wrth Mrs Kathleen James, Beach Hotel, iddo dderbyn llythyr oddi wrth ei berthnasau, a'u bod yn aros mewn gwesty yn Stockwell yn Llundain. Ond nid oedd am ddadlennu mwy na hynny.

O dipyn i beth yr oedd y wasg yn ymddiddori mwy a mwy yn yr hanes oedd wedi cyffroi cymaint ar ardal hynod y triongl yng ngodre Sir Gaerfyrddin. A phan ddaeth y *Western Mail* allan fore Llun cyntaf Tachwedd, cafwyd ynddo'r datganiad hwn gan Ronald Harries, Cadno:

> 'Ar gais f'ewythr, euthum i Langynin ar Sadwrn, Hydref 17eg, tua hanner awr wedi deg yn y bore. Roedd f'ewythr

a'm modryb eisoes wedi ymwisgo, a'u cês wedi'i bacio'n barod. Ar ôl codi caniau llaeth pump o'r gwartheg i'r lorri, aethom i gerbyd f'ewythr, a gyrrodd yntau i Gaerfyrddin. Wedi cael cwpanaid o de, ac i'm modryb siopa dipyn, aethom i'r orsaf o gwmpas hanner dydd. Fel yr oedd fy modryb a'm hewythr yn dod allan o'r car, a chyn mynd i godi tocynnau, dywedodd f'ewythr wrthaf: "Bydd yn fachgen da, a gofala am bopeth nes dof i'n ôl."

Aethant i'r orsaf, ac fel yr oeddem wedi trefnu, gyrrais innau'r car yn ôl i fferm Cadno. Rwyf wedi bod yn y Derlwyn bob yn ail ddiwrnod yn bwydo'r ieir; rwyf wedi mynd â'r gwartheg i Bendein.

Gofynnodd f'ewythr i mi gryn bum wythnos yn ôl ofalu am y fferm tra byddai ef a'm modryb yn Llundain am bythefnos neu dair wythnos o wyliau.'

Gyda'r wasg bellach wrthi'n porthi'r cyhoedd â'r datblygiadau diweddaraf, roedd gofid y trigolion yn angerddoli o ddydd i ddydd. Roedd pob math o ddamcanu ar gerdded, a phellen yr holl hanes wedi troi'n glymau byw. Fel y llwyddid i ddatod un cwlwm, gyda gobaith o fedru llacio a dirwyn popeth i drefn, dôi llinynnau eraill i'r stori a fyddai'n cyfrodeddu'r bellen yn un bwndel o ddryswch, ac âi'r sefyllfa'n waeth nag erioed.

Dôi rhywrai at yr heddlu am eu bod wedi cofio'n sydyn ac o'r newydd am ryw ddigwyddiad neu'i gilydd. Ar y naill law, gallasai mymryn o wybodaeth felly fod yn gyfraniad gwir werthfawr; ar y llaw arall, gallasai fod yn gwbl ddiwerth. Eto, am na ellid anwybyddu'r dystiolaeth fwyaf pitw, gofelid cadw'r cyfan yn ffeiliau'r heddlu.

Yn wir, fe ddigwyddodd peth tebyg yn hanes y Rhingyll Phillips o Landeilo. Cofiodd ef ei fod wedi clywed gan rywun am Ronald Harries wrthi'n cloddio am ffynnon yn un o gaeau Cadno. Ond prin fod sylw o'r fath yn werth meddwl ddwywaith yn ei gylch. Onid yw ffermwyr wrthi byth a hefyd yn palu mewn maes, yn cafnio i'r pridd wrth ailagor traen, yn tyllu i gladdu anifail neu osod cilbost adwy? Am mai dyna batrwm naturiol ac arferol byd ffermio, pam synnu o gwbl fod un amaethwr wrthi'n tyllu am ffynnon?

Ond pan ailgofiodd y Rhingyll Phillips y ffaith syml honno, cafodd ei ysgwyd yn bur arw o sylwi mai dyddiad y tyllu oedd Hydref 16eg, dyddiad yr Ŵyl Ddiolchgarwch yn Llangynin.

6

Er bod yr heddlu'n bur siŵr fod Ronnie Cadno'n nyddu celwyddau, nid hawdd oedd ei gornelu gyda sicrwydd a fyddai'n derfynol. Yr unig ffordd i setlo'r dirgelwch oedd dod o hyd i John a Phoebe Harries—yn fyw neu fel arall. Ond er taered y chwilio, nid oedd un golwg o'r cwpwl yn unman hyd fro Llangynin. Nac yn Llundain chwaith, yn ôl pob tebyg.

Felly, beth ellid ei wneud?

Dyna oedd union broblem Mr T. H. Lewis, Prif Gwnstabl Heddlu Sir Gaerfyrddin. Roedd ef yn hir gyfarwydd â byd y gyfraith, yn fargyfreithiwr abl, ac yn swyddog a berchid yn fawr gan frawdoliaeth yr Heddlu dros Gymru gyfan, o'r de i'r gogledd.

Yn ystod haf a hydref 1953, roedd llenor tra hynod yn teithio wrth ei bwysau trwy ardaloedd Sir Gaerfyrddin. Aneirin Talfan Davies oedd y gŵr hwnnw, a'i dasg oedd ysgrifennu cyfrol am y sir gyfoethog honno ar gyfer cyfres boblogaidd ar grwydro Cymru. Wrth sôn amdano'i hunan wedi galw yn Eglwys Gymun (heb fod ymhell o Bendein) mae'r awdur yn gyrru ei gerbyd tua Llanddowror, ac fel hyn yr egyr ei baragraff nesaf:

> 'Penderfynais cyn dychwelyd i Abertawe, yr awn i fyny tua Llangynin a Llanboidy, ac felly euthum yn ôl i Sanclêr, a throi ar y chwith a dilyn afon Cynin am ychydig, ac ymlaen i Langynin. Yr oedd hi'n digwydd bod yn adeg pan oedd y plismyn ar drywydd llofrudd y ddeuddyn diniwed a gadwai ffermdy'r Derlwyn, ac ni allwn lai na meddwl am stori Cain ac Abel; a'r sôn am waed 'yn llefain o'r ddaear'. Yr oedd y ffermdy'n wag. Y llenni wedi tynnu, ac nid oedd anifail i'w weld yn unman . . . yr unig lygedyn golau yn yr achos hwn oedd ymddygiad pobl yr ardal, a'r modd y cydweithredasant â T. H. Lewis, Prif Gwnstabl y Sir, i gael gafael ar y llofrudd. Gwnaeth hyn, dywedodd ef wrthyf, argraff ddofn ar swyddogion Scotland Yard a oedd yng ngofal yr achos.
> A chyda llaw deallaf fod Mr Lewis wedi gofalu fod pob

aelod o heddlu Sir Gâr yn medru siarad Cymraeg.' (tud. 252-3, *Crwydro Sir Gâr*, Llyfrau'r Dryw, Llandybïe).

Bellach, a'r Prif Gwnstabl T. H. Lewis yn ei drydedd wythnos o geisio dod o hyd i achos y diflaniad poenus, gyrrodd garfan o wŷr i chwilota trwy holl gaeau'r Derlwyn. Mynnodd gymorth swyddogion y Frigâd Dân i bwmpio'n sych bob ffynnon a phwll oedd ar y tir, ond ofer fu'r holl lafur hwnnw. Galwodd ar y Ditectif Arolygydd Foster o Labordy Fforensig Caerdydd i godi samplau o'r pridd a'r mwd, ond o brofi'r rheini'n fanwl wyddonol, ni ddaeth budd o hynny chwaith.

Ar yr un diwrnod ag y cribai'r dynion trwy'r caeau, yr oedd gweithgarwch arall ar fynd yn nhŷ'r Derlwyn. Yno'r oedd pennaeth Labordy Fforensig Caerdydd, y Dr Wilson Harrison, a'i staff yn archwilio pob manylyn trwy'r holl ystafelloedd. Wedi'r holl chwilota, ni chanfuwyd yr arwydd lleiaf bod ymrafael nac unpeth chwithig wedi digwydd yno.

Fodd bynnag, daethpwyd ar draws un eitem dra hynod. O agor drws y popty, gwelwyd ar y silff o'i fewn delpyn o gig (eithaf pwdr erbyn hynny, bid siŵr) fel petai wedi'i osod yn barod ar gyfer ei goginio. Serch hynny oll, roedd diflaniad John a Phoebe yn para'n gyfrinach dywyll.

Felly, wrth sylweddoli anferthedd tasg ei swyddogion, gydag erwau meithion o'r sir i'w cribinio eto ganddynt, o'r diwedd penderfynodd y Prif Gwnstabl T. H. Lewis y byddai'n rhaid iddo droi i gyfeiriad arall. Ar y 5ed o Dachwedd, brysiodd yr uchel swyddog draw i Lundain a mynegi'i broblem wrth Scotland Yard gan bwyso am gymorth eu profiad nhw i'w helpu yn Sir Gaerfyrddin.

Ymatebodd Scotland Yard i'w gais heb oedi dim, ac ar y trannoeth (dair wythnos wedi'r Ŵyl Ddiolchgarwch yn Llangynin) cyrhaeddodd dau swyddog o Lundain dref Caerfyrddin. Y Ditectif Ringyll Bill Heddon oedd un, gyda phrofiad helaeth ganddo o'r gyfraith ac o deithi troseddwyr, ac a fu cyn hynny'n Lifftenant Cyrnol yn Heddlu'r Fyddin.

Y llall oedd y Ditectif Uwch Arolygydd John Capstick, gŵr oedd wedi dringo trwy rengoedd Heddlu'r Metropolitan. Un o Lerpwl oedd Capstick, ac yn ei ddydd, ystyrid ef gyda'r galluocaf o guddswyddogion Scotland Yard. Yn hirben a chyfrwys, roedd ganddo'r ddawn seicolegol honno o dreiddio i mewn i feddwl ei wrthwynebydd; trwy hynny, gallai ragdybio cam nesaf y drwgweithredwr, a bod yno o'i flaen fel petai. (Sbel cyn hyn, cipiwyd geneth fach o'i gwely yn Ysbyty Bolton, a'i lladd y tu allan i'r adeilad. Ar ôl canfod olion bysedd ar botel yn y ward, mynnodd John Capstick i'r heddlu brofi ôl-bysedd pob un gwryw trwy holl dref Bolton. Roedd y gofyn agos â bod yn amhosibl, ond un o bennaf gryfderau'r cuddswyddog hwnnw oedd amynedd diarhebol. Trwy ddyfalbarhau felly yn Bolton, o'r diwedd llwyddodd Capstick i ddal y llofrudd, milwr o'r enw Peter Griffiths.)

Heb golli dim amser yn nhre Caerfyrddin, erbyn bore Sadwrn roedd John Capstick wedi gorchymyn i blismyn fynd am Bendein i gymryd meddiant o Land Rover Ronnie Cadno, yn ogystal â'r Austin A40. Yn dilyn hynny, aeth swyddogion Labordy Fforensig Caerdydd ati i ddadansoddi pob llychyn a oedd yn nhu mewn a thu allan y ddau gerbyd. Ar ôl tynnu sawl ffotograff ohonyn nhw, gosodwyd llarpiau o bapur glân ar lawr, a gyrru'r naill gerbyd fel y llall dros y papur gwydn er mwyn cael argraff eglur o bob teiar, wyth ohonyn nhw i gyd. Ond am na chanfuwyd dim o bwys arbennig, aethpwyd â'r Land Rover a'r A40 yn ôl i Ronnie Harries i Bendein.

Y Sul dilynol, er bod gwynt a glaw yn gyrru ar draws Sir Gâr, nid arbedodd Capstick y dim lleiaf ar ei weithwyr. Gyda chydsyniad y Prif Gwnstabl, gyrrodd y plismyn allan i'r genlli yn heidiau trefnus, a'u tasg y dydd hwnnw oedd chwilio'n fanwl bob twll a chornel o gwmpas Llanddowror, gan ymdaenu ar led yn un cylch eang. Roeddent i graffu'n daer rhag ofn y gwelent gyrff wedi eu bwrw o'r neilltu, neu efallai bentwr o bridd a allai fod yn fedd newydd ei dorri. Er taered y chwilio, ni welwyd dim o fath felly.

Yn y cyfamser, roedd y ddau dditectif, Capstick a Heddon, gyda swyddogion uchel eraill, wrthi'n cyf-weld y degau o dystion a ddôi atyn nhw o sawl ardal gyda'u storïau. Fe'u holid yn bwyllog gan gofnodi'r cyfan oll, heb ddibrisio'r cyfraniad lleiaf un. Yn raddol fach, roedd gwŷr Scotland Yard a'r heddlu lleol yn dechrau sylwi fod math o batrwm yn ymagor o'u blaenau. Mae'n wir fod darnau coll yn amlwg yn y jig-so, ond roedd gan Capstick, yn arbennig, stôr ddihysbydd o amynedd ar gyfer diffygion felly.

Ddydd Llun, rhannwyd yr 'helgwn' yn ddwy garfan helaeth. Aeth un criw i Langynin, gan gymryd y Derlwyn fel canol i'r cylch cyn ymledu yn un olwyn fawr o chwilotwyr. Aeth y criw arall i lawr i Bendein gan daenu rhwyd eu hymchwil o'r groesffordd hyd ymylon tiroedd Cadno. Ar ôl diwrnod hir a blinedig o syllu ar faes a chlawdd ac adwy, ni sylwyd ar ddim a fyddai'n codi trywydd i'r dynion.

Ddydd Mawrth, roedd yr heddlu'n dal ar eu crwydr ym mharthau Pendein, ac os oedd cydwybod euog yn y cwmpas-oedd hynny, byddai gweld gwŷr yr iwnifform las yn prowla'n dragywydd ar hyd a lled y fro yn siŵr o fod agos â dryllio nerfau person felly. Ond i fyny yn ardal Llangynin, roeddid yn chwilota mewn tair chwarel a oedd yng nghwrs y blynyddoedd wedi hen lenwi â dŵr. Gyda pheiriannau at y pwrpas, sugnwyd y pyllau'n sychion, dros gan mil o alwyni o ddŵr, meddir. Ond unwaith eto, nid oedd olwg fod neb wedi boddi yn y chwareli.

Ddydd Mercher, roedd y Prif Gwnstabl T. H. Lewis wedi trefnu i bosteri gael eu dosbarthu ym mhob Gorsaf Heddlu trwy Gymru. Felly hefyd yng ngorsafoedd Llundain. Ar y poster, ceid ffotograff o ŵr a gwraig Derlwyn gyda manylion am eu taldra, eu hoedran, a'r math o ddillad a wisgent. Yn ogystal â hynny, ymddangosodd yr un un ffotograff, a'r hysbysiad eu bod ar goll, yn y *Police Gazette*. (Dosberthid y cyhoeddiad hwnnw gan Scotland Yard yn ddyddiol i bob gorsaf trwy Brydain oll.)

CARMARTHENSHIRE CONSTABULARY

MISSING

From Derlwyn, on the Llanginning-St. Clears Road, Llanginning, Carmarthenshire, since 8.45 p.m. Friday, 16th October, 1953:-

JOHN HARRIES, Farmer, age 63, 5ft. 6ins., broad build, greying hair, bald on top, full face, complexion fresh, clean shaven, own teeth bottom, few false on top denture. Welsh-speaking. Believed to be dressed:- Brown mixture overcoat, believed single breasted.

PHOEBE MARY HARRIES, Wife of above, age 54, about 5ft. 3ins., very thin build, thin face, greying hair, false teeth. ~~Welsh accent~~. May be dressed in navy blue costume, black overcoat with dolman sleeves, black hat with two feathers, and wearing gold dress ring (two or three small stones).

Also missing from their home:- Small attache case and medium size brown week-end case with initial "A.P." on the outside.

Any information concerning these missing people please communicate with nearest Police Station or to the undersigned.

T. H. LEWIS, Chief Constable,
Carmarthenshire Constabulary.

Telephone No: Carmarthen 7401/2

"JOURNAL," CARMARTHEN

Y poster a ddosbarthwyd gan y Prif Gwnstabl ar ddechrau'r ymchwiliad.

Persons Missing

31.—**Carmarthen, Carmarthen** (Co.).—Since 16th ult., from their home.—**John Harries**, b. 1890, farmer, 5ft. 6in., broad build, c. fresh, h. greying (bald on top), some upper

teeth false, speaks Welsh; believed wearing brown mixture s.b. overcoat.—**Phoebe Mary Harries**, b. 1899, 5ft. 3in., thin build, thin face, h. greying, false teeth, Welsh accent; wearing black overcoat with Dolman sleeves, navy blue costume, black hat with 2 feathers, and gold dress ring, set 2 or 3 small stones. In possession of small attache-case and a brown week-end case with "A.P." on outside.

Yr hysbysiad yn y Police Gazette.

Yn ystod dydd Mercher hefyd, gwelwyd haid o swyddogion ar bwys fferm Maesgwrda yn Sanclêr. Yn y fan honno, roedd tomen sbwriel yn mudlosgi, ond er tyrchio trwy'r lludw myglyd, daeth y nos heb iddyn nhw ganfod dim byd o bwys. Drannoeth, roedd y dynion yn ôl ar y domen aflan, ond ofer a fu'r llafurio diffaith hwnnw.

Ddydd Gwener, y 13eg o Dachwedd, roedd hi'n dod at ben mis llawn er pan ddigwyddodd yr enbydrwydd i gyfeillion Derlwyn. Eto, roedd ymroddiad yr heddlu wedi bod yn gwbl ddiollwng. Y diwrnod hwnnw, yn Neuadd Gwalia, San Clêr, roedd y Prif Gwnstabl wedi trefnu cyfarfod arbennig gydag aelodau lleol o Undeb yr Amaethwyr. Anerchwyd hwy gan y pennaeth ei hunan, cyn cael gair pellach gan yr Uwch Arolygydd William Lloyd. Yr amcan oedd annog ffermwyr y bröydd i baratoi am un helfa fawr dros ardal eang ei chwmpas: byddin anferth o amaethwyr yn cael eu didol yn finteioedd llai, gyda swyddogion o'r heddlu yng nghwmni pob mintai. Y tro hwn, byddai'r ardal driongl wedi'i mapio fel sgwâr, a phob ochr iddo'n ddeng milltir mewn hyd. Bu'r dorf luosog hon wrthi'n crwydro'n drafferthus trwy blwyfi Sanclêr, Llangynin, Talacharn a Llanddowror. Ar ôl ymlwybro dros gan milltir sgwâr ar draws yr ardaloedd, daeth y gwŷr yn eu holau wedi diwrnod llethol heb unrhyw wobr i'w llafur.

Roedd y sefyllfa'n un ddigalon. Nid oes ddadl nad oedd y gwaith undonog yn troi'n dreth ar bobun; teithio ar hyd erwau o gaeau gyda phicffyrch a ffyn, pwnio godreon cloddiau, ymwthio trwy lwyni drain brathog, cerdded, cwmanu, chwilota, aros, craffu . . . a hynny ddydd ar ôl dydd, ac yn nannedd sawl drycin. Pwy a welai fai ar y dynion am wangalonni?

Ond nid felly'r Prif Gwnstabl T. H. Lewis a gwŷr Scotland Yard. Gydag amynedd a oedd yn anghredadwy, ni roddent siawns i'w swyddogion ddiffygio am un munud. Am fod pob diwrnod newydd yn gyfle newydd, roeddid wedi gofalu y byddai rhaglen lawn ar gyfer y plismyn o fore hyd hwyr. Bellach, nid oedd neb i anwybyddu'r arwydd mwyaf di-nod hyd wyneb y fro; gallasai mymryn bychan, bach felly fod yn ddigon i droi'r fantol.

Digwyddodd peth o'r fath mewn mynwent, o bob lle annisgwyl. Sylwodd un swyddog fod pridd diweddar, llac mewn llecyn o'r gladdfa. Gwaetha'r modd, ni ellid cau llygaid ar fater felly mwyach, boed ddaear gysegredig ai peidio. Mynnwyd sgwrs gyda'r gweinidog lleol a'r ymgymerwr, ond trwy drugaredd, cafwyd prawf pendant i angladd fod yno'r diwrnod cynt, ac mai pridd newydd ei daenu'n gwbl gyfreithlon oedd hanes y bedd hwnnw.

Roedd yn amlwg nad oedd dim amdani ond dygnu ymlaen â'r chwilio, Sul, gŵyl a gwaith. Fe gaed caniatâd arbennig gan y Weinyddiaeth Amddiffyn i grwydro'r diriogaeth arferol anghyff-wrdd honno ar fin y tywod. Yn y parth hwnnw, buwyd yn chwalu hyd gyrion traeth Pendein nes gorfod derbyn nad oedd dim yno a fyddai'n gymorth i'w tasg ddi-ddiolch.

Trwy'r dyddiau hynny, nid oedd tiroedd Cadno'n cael llonydd o gwbl. Y Sadwrn hwnnw, aeth fflyd o'r dynion unwaith yn rhagor i grwydro dros feysydd y fferm. Ar un adeg, fe godwyd gobeithion pawb; ar bwys un llecyn sylwyd fod y pridd braidd ar wasgar, ond yr unig beth a gaed i'r wyneb oedd corpws ci ac esgyrn dafad. A siom arall.

Ar fore Sul, Tachwedd 15ed, a hithau'n fileinig oer, ymgasglodd chwe chant o ddynion i gribo mynydd Maros. Wedi didol y dyrfa fawr yn heidiau llai, a rhannu'r mynydd yn fân adrannau, ymaith â'r gwŷr, rhai yn cerdded gyda'u cŵn, ac eraill ar geffylau. Cyfeiriwyd carfan arall tua pharthau gwastad Amroth ar fin y môr. Y diwrnod hwnnw, bu pwnio o dan dorlan afon a ffos, archwilio sawl ogof ac ymwthio'n wargrwm i berfeddion twneli tywyll, rhai, meddid, yn ganllath o hyd.

Ar bwys cofgolofn y pentref, roedd gan y Prif Gwnstabl gorn-siarad nerthol i gyfarwyddo'r holl waith. Am fod yr oriau'n hir a'r tywydd yn filain, gofalodd y pennaeth fod cerbyd cantîn ar gyfer y dynion llafurus; dywedir fod dros fil o gwpaneidiau te wedi cael eu rhannu'r diwrnod hwnnw. Ysywaeth, ofer fu'r holl ymdrech.

Ben bore Llun, gwelid yr Arolygydd Fox yn anelu'n frwd at diroedd Cadno eto fyth, a chydag ef ddau ringyll a deunaw cwnstabl. Cerddodd y criw yn brysur at y Cae Top, ac yna camu'n araf hyd ei ymylon nes cyrraedd llecyn lle tyfai cnwd deiliog o *kale*. Sylwodd y Rhingyll Phillips, oedd yn hen gyfarwydd â byd amaethu, fod llain bychan gerllaw, lle'r oedd y dail breision, iraidd, yn anarferol o lipa. Wedi sarnu ar yr wyneb, teimlid bod y lle o dan draed yn eithriadol o feddal, y pridd yn llac, yn llawer rhy llac i fod yn naturiol.

Wrth gydio yn y dail *kale*, gwelodd y Rhingyll eu bod yn codi o'r pridd yn gwbl rwydd, yn union fel petai rhywun wedi'u tynnu o'r gwraidd ac yna'u gwthio yn ôl i'w tyllau. Estynnodd un o'r dynion raw i'r Arolygydd Fox, a chyda gofal mawr cododd yntau dair neu bedair rhofiaid o bridd i'r wyneb. Am fod y ddaear ar y clwt hwnnw o dir yn eithriadol o frau, aeth ati i balfalu â'i ddwylo. Yna'n sydyn, cydiodd mewn plyg o ddilledyn, math o frethyn main a allai fod yn gôt ysgafn. Cododd ei ben, a rhythu ar y plismyn oedd o'i gwmpas.

'Dyna ddigon! Rwy'n stopio'n awr,' meddai'r Arolygydd Fox, dan gamu'n araf ymlaen cyn plygu uwchben y pentwr pridd, syllu eto ar y darn dilledyn, a dyfalu beth arall oedd cyfrinach y gornel hon o gae Cadno.

Ar ôl ymunioni, cafodd yr Arolygydd Fox drafodaeth gyda'i swyddogion, a'r canlyniad fu siarsio dau gwnstabl i warchod y llecyn, a dweud wrth weddill y fintai am ymadael.

Cyn pen dim, roedd y Prif Gwnstabl Lewis, y ditectif John Capstick, ynghyd â dau swyddog arall wedi cyrraedd i'r cae tynghedol ar dir Cadno. Ar gyfarwyddyd manwl, aeth un o'r swyddogion ati i chwalu'r pridd â'i ddwylo, a hynny'n eithriadol ofalus. Yn y man, roedd yr heddlu yn syllu ar gorff dynes yn gorwedd ar ei chefn, ei choesau ymhlŷg, fymryn ar led.

Ar ôl hynny, aeth y swyddog i'w gwman unwaith eto a chodi ychwaneg o bridd â'i ddwylo noethion. Wrth ddal ati'n ddyfal felly, cyn bo hir dyma ganfod corff arall o dan un y wraig. Y tro hwn, corff dyn.

O'r foment honno, trefnodd y Prif Gwnstabl ar unwaith i'w wŷr gylchynu fferm Cadno â rhubanau llydain, a'u gorchymyn i rwystro pob un rhag dod i mewn i'r lle, nac ychwaith ei adael. Yn bennaf dim, nes dod i gyswllt buan â meddygon a'r arbenigwyr fforensig, roedd y plismyn i warchod y ddau gelain oedd yn y beddrod truan wrth eu traed.

Heb ymdroi dim mwy, brysiodd y ddau swyddog, William Lloyd a John Capstick, tua ffermdy'r Cadno, ac yn fuan wedyn aethant â Ronald Harries yn eu cerbyd i Orsaf yr Heddlu yn Sanclêr. Yr un pryd, aeth y Ditectif Arolygydd Jones â thad a mam Harries i'r un un orsaf.

Eisteddai'r llanc a restiwyd yn sedd ôl y cerbyd, ac wrth ei ochr yr oedd swyddog o'r heddlu'n ei warchod. Y rhyfeddod oedd fod Ronald Harries yn ymddwyn mor annisgwyl o hyderus, ac ar ben hynny'n siarad heb ddim taw arno.

Yr esboniad tebycaf dros ymddygiad o'r fath oedd ei fod erbyn hynny'n un cawdel o emosiynau. Os bu ef ar berwyl drwg eithafol, gwyddai beth oedd cnofeydd euogrwydd yn gymysg ag arswyd y canlyniadau. Gwyddai beth oedd mis a mwy o gael ei hela fel llwynog. Gwyddai beth oedd cael ei gornelu. Ac o'r diwedd, roedd wedi cael ei ddal.

Yng ngherbyd yr heddlu, felly, roedd yna ddyn ifanc mewn panig gwirioneddol. Ar y naill law, gallai fod yn teimlo gollyngdod am fod popeth 'drosodd'. Ar y llaw arall, ac yntau erbyn hyn yn hafflau'r gyfraith, gallai ddyfalu hefyd nad oedd pethau ond megis dechrau arno. A bod dau brofiad croes i'w gilydd yn rhwygo'i berson yn ddrylliau: gollyngdod a chaethiwed.

Ar nos yr Ŵyl Ddiolchgarwch pan alwodd yn y Derlwyn, roedd popeth wedi ymddangos mor syml i Ronnie Harries. Ond erbyn hyn, roedd popeth wedi troi'n ddryswch a oedd yn ei fygu'n deg, a'r dryswch hwnnw wedi treiddio i ddyfnderoedd isa'i ysbryd. Bellach, fodd bynnag, byddai'n rhaid iddo rywsut geisio cuddio'r panig oedd yn gwasgu amdano, a rhoi cynnig ar actio bod yn gwbl hunanfeddiannol.

Y drafferth gyda nerfau'n corddi felly o'i fewn oedd peri iddo ymddwyn gyda gormod o hyder o ddim rheswm. Canlyniad hynny oedd ei fod yn siarad yn hollol ddi-reol. Ond yn sydyn o ganol ei barablu gwyllt, taflodd gwestiwn at yr heddwas, 'Ydych chi'n credu 'mod i mewn trwbwl?'

'Wel, Ronnie,' meddai'r swyddog dan fesur ei eiriau'n ofalus, 'os nad ti a laddodd yr hen gwpwl, does gen ti ddim byd oll i'w ofni. Ond os ti a'u lladdodd nhw, petawn i yn dy le di, mi faswn i'n dechre gweddïo.'

Wedi'r ateb trywannol hwnnw, aeth Ronnie i'w gragen yn dawel, ac ni chlywyd un gair o'i enau am weddill y daith i Sanclêr.

7

Ar y naill law, wedi mis a mwy o chwilio cwbl ddiarbed, roedd dod o hyd i'r ddau druan yn ollyngdod i bawb. Ar y llaw arall, roedd deall mai felly y daeth y diwedd i hynt John a Phoebe Harries yn ergyd barlysol o chwerw.

Yn ystod y dyddiau hynny, roedd gweisg Llundain yn arbennig wedi rhoi cryn sylw i helynt gŵr a gwraig Derlwyn, Llangynin. Ar gyfer un Sul, roedd y *News of the World* wedi cyhoeddi'r hanes ar y ddalen flaen oll-bwysig, gyda'r canlyniad fod miliynau o ddarllenwyr trwy Brydain oll yn ymddiddori yn y cynnwrf.

Yn wir, roedd y papur hwnnw'n cynnig gwobr o £500 i'r cyntaf a fedrai drosglwyddo gwybodaeth bendant am ddiflaniad y cwpwl gwledig. (Bryd hynny, yn 1953, roedd pum can punt yn swm pur syfrdanol o arian.)

Ar ôl deall i'r cyrff gael eu canfod ynghlâdd mewn cae oedd ymron ar garreg drws mab Cadno, troes y wasg i ymfflamychu ynghylch gorchestion John Capstick o Scotland Yard. Wrth gwrs, byddai ambell adroddiad yn or-flodeuog, fel y stori honno'n disgrifio'r ditectif enwog yn syllu i'r awyr ar haid o adar boda (*buzzards* oedd gair y colofnydd) yn ymdroelli uwchben cae cnydiog, ac i'r cuddswyddog ddweud gyda hyder terfynol: 'Yn y fan acw y maen nhw wedi'u claddu.' (Ond ni ddigwyddodd y fath beth o gwbl.)

Enghraifft arall o'r dychymyg newyddiadurol oedd nodi hoffter John Capstick o arddio, a'i fod yn arbenigwr ar dyfu rhosynnau. Am y dylai, felly, fod yn gyfarwydd â gweld dail ei ardd yn tyfu'n iraidd las, ac wrth hydrefu yn crino'n wyw, mynnid wedyn mai profiad garddwrol o'r fath a barodd i'r ditectif sylwi ar glwt o dir yn y cae lle'r oedd dail *kale* wedi gwywo cyn pryd. (Nid dyna'r gwir ychwaith, am mai llygaid swyddog o gefn gwlad wedi hen arfer â byd natur a sylwodd ar yr hynodrwydd mewn cae ar fferm Cadno.)

Efallai mai'r stori fwyaf gwreiddiol gan y colofnydd oedd honno am John Capstick a Bill Heddon yn gyrru i dref Caerfyrddin, a phrynu sawl rîl edau, rhai o liw gwyrdd ac eraill o ddu . . . Ond a bod yn deg, roedd Capstick yn ategu'r hanes hwnnw air am air.

Gyda'r gwyllnos, meddai ef, aeth yng nghwmni ei gydswyddog, Heddon, a cherdded meysydd Cadno. Yna'n llechwraidd, bu'r ddau yn taenu'r edau hwnt ac yma o gwmpas un cae arbennig gan ei dirwyn ar draws adwy a mynedfa, a'i chlymu dros bob agoriad lle'r oedd bwlch ym mherthi'r cloddiau.

Ymhen amser ar ôl helynt flin y llofruddiaeth ar dir Cadno, bu John Capstick yn manylu mewn llyfr am ei brofiad gyda'r achos hwnnw. Sonia fel yr oedd criw o newyddiadurwyr awchus yn lletya mewn gwesty ym Mhendein, ac yn fythol ar ôl y pennaeth o Scotland Yard am fanylion o'i symudiadau diweddaraf, a chael hynny o lygad y ffynnon.

Ychydig a wyddent, meddai Capstick, fel y bu iddo ef a Bill Heddon lithro allan yn ddistaw liw nos trwy ffenestr y gwesty, a chyrraedd gan bwyll i fuarth fferm Cadno. Yno, yn y tywyllwch hwyr, buont yn creu trwst bwriadol gan fflachio golau hwnt ac yma'n unswydd er mwyn tynnu sylw trigolion y ffermdy.

Yn y man, clywsant ffenestr llofft (lle'r oedd Ronnie'n cysgu, meddai ef) yn cael ei hagor, gyda llafn o oleuni fflachlamp yn pelydru i'w cyfeiriad—a hwythau ill dau erbyn hynny wedi swatio y tu ôl i dractor. Yn awr, rhesymai Capstick, buasai dyn cwbl onest a diniwed yn siŵr o floeddio ar y tresbaswyr hwyrol i ymadael â'i fuarth. Eto, y cyfan a glywai ef oedd ffenestr y llofft yn cau drachefn, a chyn bo hir yn cael ei hagor eilwaith. (Roedd hyn yn enghraifft berffaith o ddawn John Capstick i dreiddio i mewn i feddwl ei wrthwynebydd, a llwyddo i beri anesmwythyd yn ysbryd hwnnw. Sut bynnag, erys un amheuaeth: onid ym mhenty Ashwell gerllaw, ac nid yn y Cadno, y cysgai Ronnie? Ond wedyn, gellir gofyn mewn chwilfrydedd pwy, ynteu, oedd wrthi'n agor a chau'r ffenestr ar y noson bryfoclyd honno?)

Y bore ar ôl y noson o glymu'r edau a stwyrian o gwmpas iard Cadno, edrydd Capstick iddo ef a'i gyfaill fynd draw i archwilio'r cae, rhag ofn bod rhywun (er mwyn gwarchod y celaneddau) wedi torri'r edau'n ddiarwybod wrth gerdded trwy fwlch. Ni welwyd arwydd fod hynny wedi digwydd yn unman. Ond wrth graffu ar yr edau a glymwyd dros bedwar postyn, sylwyd bod y pyst hynny, oedd rhwng y ffordd fawr a'r cae, yn rhai pur ansad yn y ddaear. Sylwyd hefyd yng ngolau claer haul y bore, fod olion rhyfedd ar bridd y fangre honno, ac y byddai'n rhaid eu harchwilio'n fanwl yn fuan, fuan. Fel y datblygodd pethau'n ddiweddarach, roedd ymgyrch yr edau'n mynd i fod yn werth y drafferth wedi'r cyfan.

Ymhellach, wrth ei ddisgrifio'i hunan wrthi'n 'hela'r cadno', cyfaddefodd Capstick fod un ofn yn ei boeni'n wirioneddol. Petai Ronnie Harries wedi claddu'r ddau gorff rywle yn eangderau tywod gwastad Pendein lle'r oedd y llanw'n mynd a dod, ofnai'r cuddswyddog na fyddai ef na neb arall fyth bythoedd wedi dod o hyd iddyn nhw.

Yn ei atgofion, eddyf hefyd iddo gael gair o gyngor—a chalondid—wrth sgwrsio un noson yn y Boar's Head â Jack Thomas. Roedd Jack Thomas yn arfer sgrifennu colofn yn yr *Empire News* am gyffroadau'r byd troseddol: 'I'm a Welshman,' meddai ef wrth Capstick, 'and I know how Welshmen tick. Young Harries wouldn't be so sure of himself if the bodies weren't right under his nose—in a place you haven't searched. I'd make a bet that's where you'll find them.'

Sylw dadlennol arall gan John Capstick oedd hwnnw am yr adeg pan oedd y cannoedd plismyn a ffermwyr y fro wrthi'n cribinio eithafoedd yr ardal am dystiolaeth. Bryd hynny, meddai'r ditectif, byddai'n cael neges gan hwn ac arall fod Ronnie Harries yn awyddus iawn am ei weld er mwyn adrodd wrtho ddatganiadau o'i wirfodd. 'Fy ateb i ynglŷn â hynny,' meddai Capstick, 'oedd y câi ddod i'm gweld pan fyddwn i'n barod. A dim cynt.' Credai'r athrylith o Scotland Yard mai'r unig ffordd i drechu'r dyn ifanc hyderus hwn oedd ei ysigo'n seicolegol. Chwedl Capstick, 'Keep him sweating!'

Bellach, gyda chyrff ei berthnasau wedi'u canfod o dan dyweirch mewn cae cyfagos i'w gartref, tybed a ddaeth y 'chwysu' i ben yn hanes Ronnie Cadno?

8

Thomas Ronald Lewis Harries (Ronnie Cadno).

Cyn ymadael â Sanclêr yng ngofal yr heddlu, cafodd mam Ronnie ganiatâd i deleffonio'r cyfreithiwr, Mr Myrddin Thomas, fel un i gymryd gofal o'r gweithgareddau ar ran ei mab.

Wedi'i dywys i Orsaf yr Heddlu yng ngafael yr Arolygyddion William Lloyd a John Capstick, ac ar ôl ei rybuddio ynghylch gofynion y gyfraith yng ngŵydd ei gyfreithiwr, Myrddin Thomas, cafwyd y datganiad a ganlyn gan Ronnie Harries (sydd ac adlais ynddo o'r hyn a ddywedodd wrth y *Western Mail*):

> 'Eisteddais yng ngherbyd yr heddlu gyda'r Uwch Arolygyddion Lloyd a Capstick, a dweud mor ddrwg gennyf oedd clywed bod f'ewythr a'm modryb wedi marw, gan fy mod yn ffefryn ganddynt. Dywedais wrth yr Uwch Arolygydd Capstick imi weld f'ewythr a'm modryb yn Derlwyn am 8.45 nos Wener, Hydref 16eg. Ymadewais oddi yno am 9.15. Roedd Mr Morris mewn *van* lwyd wrth imi ymadael. Daeth f'ewythr John allan ataf a gofyn imi ddod i Derlwyn i 'mofyn f'ewythr a'm modryb fore trannoeth rhwng 10 ac 11 o'r gloch.

Euthum â cherbyd f'ewythr o fferm Cadno am 10.15 fore Sadwrn, a chyrraedd Derlwyn 10.30. Helpais f'ewythr i godi'r llaeth ar y stand. Dilynodd 'modryb ni, ac eistedd yn sedd ôl y car.
Eisteddai f'ewythr yn sedd y gyrrwr a minnau wrth ei ochr. Gyrrodd i Gaerfyrddin, stopio wrth siop Masters, a cherdded i'r Willow Cafe.
Gyrrodd f'ewythr at orsaf y rheilffordd, ac aethant allan o'r car ac i mewn i orsaf y rheilffordd. Yr amser yr aeth allan oedd ychydig ar ôl deuddeg. Ychydig cyn i'm hewythr fy ngadael, dywedodd, "Bydd yn fachgen da, a gwna bopeth yn iawn nes dof i'n ôl."
Ar y ffordd i Gaerfyrddin, gwelodd f'ewythr Mr Williams y Mount, a chodi'i law arno.
Darllenais y datganiad uchod, a gwahoddwyd fi i ddileu ohono, ei newid, neu ychwanegu ato. Cytunaf ei fod yn gywir.
Arwyddwyd: Ronnie Harries.'

I hereby declare that I have read the foregoing.

Signed R Harries

Address Cadno Farm
Pendine

Llofnod Ronnie ar waelod ei ddatganiad.

Yn dilyn hynny, ac yng ngŵydd John Capstick a'r cyfreithiwr, Myrddin Thomas, dyma'r Uwch Arolygydd William Lloyd yn dwyn cyhuddiad yn erbyn Thomas Ronald Lewis Harries, iddo ladd yn anghyfreithlon un John Harries a'i wraig Phoebe Mary Harries ar, neu o gwmpas, yr 16eg o Hydref 1953 . . .

Gwnaed hynny oll ym mhatrwm dethol geiriad y gyfraith gan ofalu rhybuddio'r cyhuddiedig nad oedd raid iddo ddweud dim oni ddewisai felly. Ond pe dymunai siarad, byddid yn cofnodi popeth ar bapur, gyda hawl i ddefnyddio hynny fel tystiolaeth.

Un frawddeg fer oedd ymateb Ronald Harries i'r cyhuddiad yn ei erbyn: 'Rwy'n ddi-fai ac yn ddieuog.'

Am fod gorsaf Sanclêr yn rhy fychan i gadw carcharor dros gyfnod lled faith, cludwyd Ronald Harries i orsaf helaethach Caerfyrddin, a'i roi yn y ddalfa yno gyda dau gwnstabl yn ei warchod yn gyson rhag ofn iddo'i anafu'i hunan mewn unrhyw fodd.

Ar yr un adeg yn Sanclêr, cafodd ei fam a'i dad, Muriel a John Lloyd Harries, ganiatâd i ddychwelyd i'w cartref ym Mhendein.

* * *

Yn y cyfamser, yr oedd berw o brysurdeb yn y cae hwnnw ar dir Cadno. Roeddid wedi codi math o babell yn gysgod dros lecyn y gladdfa, a bu'r heddlu yn eu gwaith yn atal ardalwyr chwilfrydig rhag torri dros y ffiniau. A phan ddaeth gwŷr y wasg yno wrth y degau, prin y medrai'r plismyn ddod i ben â chadw'r rheini draw. Wedi'r cyfan, onid oedd gan y maes hwnnw stori erchyll i'w dadlennu, a gwanc pob gohebydd bellach yn gwbl anniwall?

Am y pnawn Llun hwnnw o leiaf, aethai maes y gladdfa ar fferm Cadno yn eiddo llwyr i weinyddwyr cyfraith gwlad a'r uchel awdurdodau oedd ynglŷn â mater felly. Y ffaith oedd eu bod yn awr yn delio'n llythrennol â bywyd a marwolaeth. O ganlyniad, roedd y cae yn ymsymud gan benaethiaid, swyddogion, arbenigwyr, arolygyddion, doctoriaid a chyfarwyddwyr, gyda phob un yn ei dro'n cael ei alw tua'r pentwr pridd a'r ddau gelain i archwilio popeth yn ôl gofynion llym eu swyddi. O'r ochr bellaf i'r ffordd, y cwbl a glywai'r dyrfa o edrychwyr oedd isel siarad a murmuron y swyddogion, gyda chamerâu'r heddlu'n fflachio a chlician yn ddi-baid.

Ar ôl i Dr David Hughes o Sanclêr dystio'i fod yn adnabod y ddau gorff, aeth patholegydd y Swyddfa Gartref, Dr Freezer, i'w bras-archwilio cyn trefnu eu cludo i'r mortiwari yn Ysbyty Gorllewin Cymru yn nhre Caerfyrddin.

Fymryn is i lawr, yng ngardd Cadno, bu staff y Labordy Fforensig wrthi'n codi o'r pridd weddillion rhai defnyddiau oedd wedi hanner llosgi; cyrchwyd hefyd rai dillad o'r ffermdy oedd yn perthyn i Ronnie Harries, ac aed â'r cyfan oll i'r labordy yng Nghaerdydd ar gyfer eu dadansoddi.

Ac felly y daeth y diwrnod sobreiddiol hwnnw tua'i derfyn.

Am chwech o'r gloch fore trannoeth, roedd Dr Freezer eisoes yn yr ysbyty yng Nghaerfyrddin, ac mewn ystafell neilltuol yn y fan honno, ar ran y Swyddfa Gartref, dechreuodd ar yr archwiliad *post mortem.* Ei ddedfryd oedd i John Harries gael ei ergydio y tu ôl i'w ben nifer o weithiau ag erfyn trwm a blaen llyfn, crwn iddo. Digwyddodd yr un math o ergydio ar ben Phoebe Harries, hithau, ond nad oedd yr ymosodiad mor chwyrn ag a fu ar ei phartner.

Am un ar ddeg o'r gloch yr un bore, safai Ronald Harries gerbron yr ynadon mewn llys arbennig yn Hendy-gwyn ar Daf. Un diben o alw'r llys hwn oedd tystio fod Ronald Harries wedi cael ei restio ar gyhuddiad o lofruddio John a Phoebe Harries. Diben arall oedd rhoi cyfle i'r heddlu ofyn am ei gadw yn y ddalfa am wyth diwrnod, sef yr hyd eithaf a ganiateid i gadw unrhyw gyhuddiedig o dan glo heb fod profion pellach yn ei erbyn.

Erbyn hyn, roedd olwynion y Gyfraith yn troi'n ddiatal, ac am ddau o'r gloch nawn Mercher, roedd crwner y Sir yn agor cwest ar farwolaeth y ddau o'r Derlwyn. Wedyn, ar ôl sicrhau fod gŵr wedi'i gyhuddo o gyflawni'r anfadwaith, rhwng y crwner a'r meddyg lleol cafwyd y ffurflen angenrheidiol a fyddai'n dystysgrif i'r ymgymerwr fynd rhagddo gyda threfnu'r gladdedigaeth.

Am ddau o'r gloch nawn Iau, Tachwedd 19eg (bum wythnos ond diwrnod ar ôl eu diflaniad), claddwyd John a Phoebe Harries ym mynwent eglwys Meidrim. Daeth torf anarferol i'w hangladd, ac ymysg yr ardalwyr dolurus yr oedd y Prif Gwnstabl T. H. Lewis, yr Uwch Arolygydd William Lloyd, y Ditectif John Capstick a'r Rhingyll Bill Heddon. Afraid yw dweud i'r cynhebrwng hwnnw beri sobrwydd a siom a swm o bensynnu.

9

Ar ôl eu dyfalwch yn dod o hyd i'r ddau gorff yng nghae Cadno, a chael Ronald Harries i'r ddalfa, byddai'r heddlu bellach yn paratoi ar gyfer y prawf yn y llysoedd oedd i ddod.

Un agwedd ar y paratoi hwnnw fyddai argraffu mapiau a phlaniau fel cymorth i'r barnwr, y rheithgor a'r bargyfreithwyr. Nid rhyw dameidiau bychain ffwrdd-â-hi a fyddai'r rheini, ond mapiau breision yn dangos yn eglur leoliad y cae *kale* hwnnw, dyweder, ynghyd ag union fangre'r bedd; yna'r pellter rhyngddo a ffermdy'r Cadno, wedyn y ffordd am fwthyn Ashwell (lle trigai Ronnie gyda'i deulu ifanc) gan ddangos y pellter rhwng y ddau gartref. Gwnaed felly hefyd o gwmpas ffermdy'r Derlwyn. Er mwyn sicrhau mapiau arbennig felly, trefnodd yr awdurdodau i gael cymorth proffesiynol syrfëwr y Cyngor Sir.

Agwedd bwysig arall o'r gwaith oedd dethol o'r ffotograffau a dynnodd gwŷr camera Heddlu Sir Gaerfyrddin, 'chwyddo' pob ffotograff, ac yna'u gosod yn eu trefn mewn albwm, nes bod y stori ddreng i'w gweld mewn cyfres o luniau eglur o'r cychwyn hyd y diwedd.

Er mai'r heddlu a fyddai'n erlyn y cyhuddiedig, rhaid oedd cofio'n gyson am yr ochr arall hefyd, sef y rhai a fyddai'n amddiffyn y carcharor. Am fod gwŷr yr amddiffyniad, hwythau, yn feistri corn ar eu tasg, byddai'n rhaid i'r erlyniad geisio dyfalu rhagllaw, a cherdded un cam ymhellach na hwy rhag ofn gadael bwlch i'r cyhuddiedig lamu trwyddo'n groeniach.

Yr oedd eisoes swm o dystiolaeth yn erbyn Harries. Ond nid digon hynny. Byddai gofyn dal ymlaen gydag ymholiadau er mwyn gwneud yn gwbl ddiogel nad oedd darn llac yng ngwead yr erlyniad. Ni ellid fforddio gadael un gwendid yn y rhwyd rhag ofn i'r cadno lithro trwodd o afael pawb.

Un enghraifft o hynny oedd dilyn honiad Ronald Harries ynghylch yr Austin A40, iddo fynd ag ef i'w drwsio at weithwyr Evans Motors yng Nghaerfyrddin. Er ei bod yn wir y byddai 'Yncl Johnnie' yn arfer delio â'r modurdy hwnnw, eto pan aeth yr heddlu yno i holi, tystiodd Gwynfor Adams, clerc Evans Motors, na fu'r Austin A40, rhif LPX 115, ar gyfyl y lle o gwbl yn ystod Hydref 1953.

Yn gynharach y mis hwnnw, roedd Ronnie wedi bod yn taeru wrth ei ewythr fod diffygion ar lampau'r Austin, bod ei do yn gollwng hefyd, ac yr âi ef â'r cerbyd ar ei ran i Gaerfyrddin am sylw. Pan holodd swyddog o'r heddlu y gŵr a werthodd y modur i John Harries, tystiai ef fod y car yn un pur newydd ac nad oedd dim oll o le arno. Ac felly, o dipyn i beth, y bu'r plismyn wrthi'n ceisio cael trefn ar y rhwyd ddryslyd gan ailglymu pob penllinyn rhydd, fel na byddai ynddi un man gwan. Buont yn rhoi trefn ar gannoedd o nodiadau, yn labelu'r eitemau a gaent o'r Labordy fforensig, heb sôn am restru'r tystion a oedd erbyn hyn dros drigain mewn nifer.

Yn y cyfamser, cedwid Ronald Harries yng ngharchar Abertawe, a phan fyddai eisteddiadau rhagarweiniol yn galw amdano, câi ei gyrchu o'i gell tua'r llys yn Hendy-gwyn ar Daf. Digwyddodd hynny ar y 25ain o Dachwedd, y 3ydd a'r 10fed o Ragfyr 1953.

Yna, ar ddydd Iau, Rhagfyr 17eg, trefnwyd llys arbennig i'r bargyfreithiwr E. C. Jones gyflwyno'r achos ar ran y Cyfarwyddwr Erlyniadau Cyhoeddus. Y diwrnod hwnnw, o ddiffyg lle, roeddid wedi llogi Neuadd Goffa'r Hendy-gwyn, a'i haddasu fel ystafell lys. Cymerwyd meddiant hefyd o rannau eraill o'r neuadd, gan gynnwys yr ystafell *billiards*, er mwyn rhoi cornel i swyddogion yr erlyniad a gwŷr y wasg. O'r tu allan, safai cryn ddau gant o'r ardalwyr yn dyrfa ddistaw i wylio Ronald Harries yn cyrraedd. Am fod y neuadd-lys yn orlawn, dyrnaid bychan iawn ohonyn nhw a lwyddodd i gael mynediad.

Ar y Fainc, o dan gadeiryddiaeth Howell Davies, eisteddai'r ynadon, W. H. Mathias, W. D. Cunnick, Mrs Mathias a Mrs Willey. Y diwrnod hwnnw, dros gyfnod o bum awr a hanner, gwrandawyd ar un ar ddeg o dystion yn traethu.

Aed ymlaen â'r gweithgareddau drannoeth yn ogystal, gwrandawiad a barodd am saith awr. Am resymau a oedd yn nodweddiadol o ofynion manwl byd y gyfraith, bu gohiriad hyd y 23ain o Ragfyr; yna mynnwyd cael oediad pellach. (Roedd toriad o'r fath yn un lled anarferol, ond mae'n ddiau i'r Nadolig daflu pethau oddi ar eu hechel.)

Wedi trefnu'r eisteddiad nesaf ar gyfer dydd Mawrth, Rhagfyr 29ain, buwyd wrthi'n galw'r tystion ar hyd yr wythnos nes daeth dydd Gwener Calan y flwyddyn newydd, sef Ionawr 1af 1954. Erbyn y diwedd, roedd trigain ac un o wŷr a gwragedd wedi cyflwyno'u tystiolaethau.

Ar y terfyn, cododd Mr Frank Davies ar ran Ronald Harries, a bu'n annerch y Fainc am amser hir iawn. Ei ddadl ef oedd i'r Goron fethu â chyflwyno achos *prima facie*—nad oedd canlyniad eu cyrch yn erbyn Harries na digonol na therfynol o gwbl oll. Am hynny, plediodd ar i'r Fainc daflu'r achos allan. Ond gyda'r holl dystiolaeth a gaed gan y fath nifer, ynghyd â dadlau caled, mynnodd yr erlyniad ar ran y Goron fod yr achos yn ddigon cadarn i hawlio traddodi Ronald Harries i sefyll ei brawf ym mrawdlys nesaf Caerfyrddin ym mis Mawrth.

Felly, pan gododd clerc y llys i gyhuddo'r carcharor yn ffurfiol o lofruddio John Harries atebodd yntau'n uchel, 'Rwy'n pledio'n ddieuog, syr, ac yn cadw'n ôl f'amddiffyniad. Rwyf ar yr iawn, a bydd y gwir yn sefyll yn wastad, fel y mae Duw uwchben yn Farnwr arnaf.'

Wedi'i gyhuddo'n ogystal o lofruddio Phoebe Mary Harries, atebodd i'r un un perwyl â chynt. Fel y camodd i gyfeiriad bwrdd y clerc, gyda heddwas yn glynu wrth ei ochr, trodd Ronnie at y swyddog a dweud wrtho, 'Peidiwch cydio yno' i. Rwy'n ddyn rhydd!'

Ar ôl encilio i drafod yr amgylchiadau, ni bu'r Fainc brin ddau funud cyn dychwelyd, a dyfarnu yn ffafr y Goron y byddid yn traddodi Ronald Harries i sefyll ei brawf yn y brawdlys nesaf. Ar hynny, ymatebodd y carcharor yn hyglyw, 'Iawn. Diolch i chi, syr.' Trodd wedyn at yr ynadon, a'u cyfarch, 'Diolch, foneddigesau a boneddigion. Diolch am eich holl amynedd gyda mi.'

10

Ddiwedd Chwefror a dechrau Mawrth 1954, bu stormydd eira'n chwipio'r wlad gan beri swm o anghysur i ddyn ac anifail. Ond erbyn dydd Llun, Mawrth yr 8fed, roedd y tywydd wedi tyneru beth, a'r ffyrdd wedi clirio. Yn gynnar y dydd hwnnw, gwelid pobl yn tyrru'n llawn brys at sgwâr Neuadd y Dref yng Nghaerfyrddin.

Am mai hwn oedd diwrnod agor y Cwrt Mawr, yn ôl arfer y trefwyr byddent yn heidio i weld ysblander y digwydd hwnnw— y caplan yn arwain yr osgordd tua'r llys, y barnwr mewn llaeswisg ysgarlad, y maer yr un mor lliwgar yn cludo cleddyf hen a hanesyddol, utgyrn yn seinio, baneri'n cyhwfan, a phlismyn ar bob tu yn gwarchod yr orymdaith yn ei holl regalia.

Y dydd Llun hwn, fodd bynnag, roedd tyrfa fwy nag arfer wedi ymwasgu i'r sgwâr, cynifer â dwy fil, yn ôl y sôn. Yn y man, byddai cerbyd yr heddlu'n cyrraedd o garchar Abertawe, a'r siawns oedd y ceid cip ar Ronnie Harries, Cadno, yn dod allan o fodur arbennig gyda'r plismyn yn ei dywys i gyfeiriad Neuadd y Dref ac i mewn i'r Cwrt Mawr i'w brofi yno gan fawrion cyfraith gwlad.

O'r tu mewn, roedd pob sedd yn y brawdlys yn llawn. Yna'n sydyn, pan ddaeth galwad i'r cynulliad sefyll, distawodd y mwstwr, a chododd pobun ar ei draed yn ddisgwylgar. Toc, cerddodd y Barnwr Havers yn urddasol tua'i eisteddfa, y clogyn ysgarlad drosto, a'r perwig gwyn am ei ben.

Wedi delio â'r person cyntaf oedd o flaen ei well y bore hwnnw, daethpwyd at yr ail achos. Galwodd Clerc y Llys am gyrchu Ronald Harries o'i gell, a gyda thri warden yn ei hebrwng, arweiniwyd ef i'r doc.

I ddadlau ar ran y Goron, neu'r erlyniad, yr oedd Herbert Edmund-Davies, Cwnsler y Frenhines. (Roedd Mr Davies hefyd yn Gymro brwd, yn arfer â mynychu'r Eisteddfod Genedlaethol bob mis Awst.) Yn ei gynorthwyo yr oedd W. Mars Jones ac R. Waterhouse, dau arbenigwr yn y gyfraith, a wnaed (fel Edmund-Davies, yntau) yn farnwyr yn ddiweddarach. Ar ran yr amddiffyniad, yr oedd Vincent Lloyd Jones, yn cael ei gynorthwyo gan Frank Davies.

Roedd dawn lachar Edmund-Davies yn y llysoedd yn wybyddus ar hyd a lled y wlad, a thros y ffin yn Lloegr hefyd, a phan safodd ar ei draed ym mrawdlys Caerfyrddin y bore hwnnw, teimlid fod nerth hynod yn treiddio allan o'i bersonoliaeth. Wedi cyfarch uchafiaid y brawdlys, dechreuodd ar ei waith yn bwyllog, heb golli'r manylyn lleiaf wrth amlinellu stori drist Llangynin.

'Un nos Wener fis Hydref diwethaf,' meddai, 'cerddodd amaethwr yn Sir Gaerfyrddin gyda'i wraig yr ychydig lathenni oedd rhwng eu fferm a'r capel lle cynhelid gŵyl Ddiolchgarwch am y cynhaeaf. Wedi'r gwasanaeth, cerddodd y ddau yn ôl trwy'r tywyllwch i'w fferm. Gyda nhw roedd boneddiges—hen ffrind iddyn nhw—ac ymwahanwyd wrth lidiart y fferm . . .'

Soniodd wedyn fel y galwodd cymydog yn y gegin, a oedd wedi gadael ei fen yn yr iard—yntau hefyd wedi bod yn y capel.

Cefn y Land Rover.

Sylwodd hwnnw fod y ddau wedi diosg eu cotiau uchaf, a'u bod yn eistedd oddeutu'r tân. Ar ôl hynny, disgrifiodd y bargyfreithiwr fel y galwodd gŵr ifanc heibio, ac iddo fynd allan i symud ei Land Rover er mwyn i'r cymydog fedru ymadael yn ei fen.

'Roedd hynny tua chwarter i naw ar y nos Wener honno,' eglurodd Edmund-Davies, cyn dod at ei frawddeg ysgytiol gyntaf. 'Ar yr un noson yn union, diflannodd y ffermwr a'i wraig o dir y byw. Ni all y Goron alw ar un tyst i sefyll o'ch blaen a'u gwelodd nhw'n fyw byth wedyn.

'Mae'n eglur nad oedd yn amcan ganddyn nhw ymadael â'r lle o gwbl. Nid nad oes dystiolaeth fod bwriad ganddyn nhw, fel enghraifft, i fynd am wyliau, ond y mae'r holl dystiolaeth yn pwyntio i gyfeiriad sy'n hollol groes i hynny.

'Gadewch i mi roi enghraifft i chi ar unwaith. Rai dyddiau'n ddiweddarach . . . canfu plisman ym mhopty'r ystafell fyw . . . delpyn o gig at-y-Sul mewn tun gyda phapur drosto yn barod ar

Y popty lle canfuwyd y cig.

gyfer ei goginio. Rwy'n gofyn i chi, foneddigesau a boneddigion y rheithgor, a yw unrhyw wraig tŷ sydd ar adael ei chartref am wyliau yn gwneud peth o'r fath? . . . Ni chlywyd gair oddi wrthyn nhw . . . ond ymhen mis union wedi hynny, fe'u canfuwyd . . . nid yn Llundain, nid yng Nghaerdydd . . . fe'u datgloddiwyd allan o gae sy'n rhan o fferm tad y gŵr ifanc a welwyd gyda nhw olaf ar y nos Wener honno fis ynghynt.

'Roedd y ffermwr a'i wraig wedi cael eu llofruddio'n filain, eu pennau wedi'u bwrw o'r tu cefn. Cawsant eu lladd ar drawiad, fel na bu ond ychydig o golli gwaed. Fe'u claddwyd yn fuan ar ôl eu llofruddio. Achoswyd yr ergydion a'u lladdodd gan erfyn â phen crwn, tua modfedd a hanner ar draws.'

Cododd Edmund-Davies un o'r eitemau-arddangos oedd ar y bwrdd, morthwyl deubwys, gan ei ddal o'i flaen. 'Mae i'r morthwyl hwn ben llyfn, ac mae'n fodfedd a hanner ar ei draws,' meddai. 'Fe allasai'r morthwyl hwn fod wedi achosi'r ergydion marwol hynny, ac y mae'r erlyniad yn cynnig mai hwn oedd yr erfyn a laddodd y ffermwr a'i wraig.'

Diddorol yw sylwi nad oedd Edmund-Davies hyd yn hyn ar lawr y llys wedi sôn am droseddwr fel y cyfryw; nid oedd wedi rhoi enw neb felly ychwaith. Ond bellach, aeth ati i egluro mai'r 'gŵr ifanc' y cyfeiriodd ato'n gynharach oedd y cyhuddiedig a safai yn y doc, sef Ronald Harries. A bod y Goron, meddai'r erlynydd, yn dal mai ef, ac nid neb arall, a lofruddiodd y ddau o'r Derlwyn. Mynnodd hefyd nad gweithred sydyn ar funud wan oedd y naill lofruddiaeth na'r llall, ond i'r cyfan fod wedi cael ei gynllunio rhagllaw.

'Ni olyga hynny ei fod yn fedrus ym mhob manylyn,' meddai'r cwnsler. 'Er enghraifft, roedd wedi methu'n anobeithiol wrth feddwl y gallai dwyllo perthnasau a chyfeillion y cwpwl a laddwyd trwy wau celwyddau ynghylch eu diflaniad sydyn.'

Wedi manylu eilwaith am symudiadau John a Phoebe Harries y nos Wener honno—y gwasanaeth Diolchgarwch yng nghapel y Bryn, a'u dychweliad i'w cartref—taflodd Edmund-Davies gwestiwn i gyfeiriad y rheithgor: 'Ymhle y bu'r cyhuddiedig yn gynharach y min hwyr hwnnw?'

Ar ôl saib ddramatig, aeth y cwnsler rhagddo i ateb ei gwestiwn ei hunan, fel petai: 'Roedd wedi bod yn benthyg morthwyl,' meddai. 'Roedd hefyd wedi mynd â'i dad i'r Beach Hotel ym Mhendein, ac aeth â'i fam i weld ffrind iddi ym Mhendein. Tuag wyth o'r gloch oedd hynny. Roedd wedi mynd â phregethwr a dyn arall o'r enw Richards i'r ŵyl Ddiolch yn Eglwys Gymun, ac yr oedd wedi cyrraedd Derlwyn cyn chwarter wedi wyth.

'Ei arfer oedd nôl ei dad pan fyddai'r dafarn yn cau am ddeg y nos. Wnaeth ef mo hynny y nos Wener honno. Roedd disgwyl iddo hefyd gyrchu'i fam erbyn 10.30. Nid oedd yno. A rhwng 10.20 a 10.30, ymadawodd ei fam gyda'i chyfeilles a cherdded mymryn i fyny'r rhiw serth yng nghyfeiriad Cadno. Ond i lawr y rhiw o gyfeiriad arall, daeth Ronald yn y Land Rover.

'Aelodau'r rheithgor, ymhle'r oedd ef rhwng 8.45, pan welwyd ef yn ffermdy Derlwyn, hyd 10.20 pan gododd ei fam ar y ffordd? Wyddom ni ddim am un tyst byw a all dweud wrthych chwi sut y treuliodd y cyhuddiedig yr amser hwnnw.

'Dadl yr erlyniad yw i'r cuhuddiedig gael Mr a Mrs John Harries allan o fferm Derlwyn. Pan ddaethpwyd o hyd iddyn nhw, roedd eu cotiau uchaf amdanyn nhw. Ond pan adawodd Mr Morris nhw yn Derlwyn, roedd y ddau wedi tynnu eu het a'u côt, ac yn eistedd wrth y tân.

'Roedd Ronald Harries, trwy ryw esgus neu'i gilydd, wedi perswadio John a Phoebe Harries i adael fferm Derlwyn, a'u cael i'r Land Rover. Gyrrodd am fferm Cadno, a'u lladd yno. Gyrrodd ychydig bellter i fyny'r ffordd garegog honno, ac i mewn i gae'r fferm o fewn ychydig droedfeddi i'r twll oedd yno'n barod, a bwndelu'r ddau i hwnnw. Ac yna, gyrru'r filltir arall i Bendein i godi'i dad a'i fam.

'Doedd dim rhaid iddo fod yn or-ofalus ynghylch eu claddu'r noson honno—byddai gwasgaru tipyn o bridd drostyn nhw'n gwneud y tro. Roedd ganddo ddigon o amser cyn y dôi neb i wybod dim i aildaenu pridd yr wyneb dros bopeth.

'Os oedd Ronnie Harries, ar ei air ei hunan, yn gwisgo un o'r siacedi gwydn hynny y bydd cigyddion yn eu defnyddio'n fynych, pwy fuasai'n sylwi pe bai mymryn o waed ar y dilledyn y noson honno? Roedd ganddo fis i gael gwared â'r siaced cyn i'r heddlu gyrraedd, a'i restio.'

Roedd Edmund-Davies yn trin yr achos yn gwbl feistraidd wrth symud gan bwyll o'r naill ddigwyddiad i'r llall. Darluniai'r cyfan yn groyw eglur, weithiau'n bwrw cwestiwn caled, dro arall yn awgrymu'n gynnil.

'Yn awr,' meddai gyda phwyslais trwm, 'rydym yn dod at dystiolaeth sydd, efallai, y bwysicaf yn yr holl achos hwn. Mae hanner awr wedi wyth ar fore Sadwrn, Hydref yr 17eg, yn adeg aruthrol o bwysig. Ac yr wy'n erfyn arnoch chwi, aelodau'r rheithgor, beidio ag anghofio hynny . . .'

Aeth y cwnsler ymlaen i ddisgrifio ymweliad cynnar Rowland James â'r Derlwyn y Sadwrn hwnnw, a chael y lle'n wag, a'r gwartheg heb eu godro. Yna, nodi fel y daeth Mr James yn ôl am un ar ddeg gyda'i frawd, Justin, a gweld fod Ronald Harries yno, ac wedi gorffen godro.

Cyfeiriodd wedyn fel yr oedd y cyhuddiedig wedi dod â'r llanc, Brian Powell, gydag ef o Bendein i'w helpu yn y Derlwyn, ac iddo yn nes ymlaen ddat-gloi'r ffermdy, a chymryd rhai pethau o gwpwrdd a drôr.

'Am 11.15 y bore hwnnw, galwodd Ronald Harries gyda'i gyfreithiwr yng Nghaerfyrddin. Yn ôl ei ddatganiad wrth yr heddlu, hwn oedd yr amser yr oedd yng ngorsaf y rheilffordd yng Nghaerfyrddin yng nghwmni Mr a Mrs John Harries . . . Mae'r eglurhad yn mynnu ei fod yn dweud celwydd . . . am na feiddiai fynegi'r gwir am yr hyn a wnaeth y dyddiau hynny.

'Dywedodd Harries wrth ei dad am beidio â phryderu, a'i fod wedi gwneud tri pheth y nos Wener honno: mynd â phregethwr i wasanaeth Diolchgarwch—a oedd yn ffaith. Ond yr oedd hynny amser hir cyn iddo ymweld â Derlwyn am 8.45. Roedd wedi helpu ewythr iddo, a oedd yn bysgotwr, i dynnu rhwyd, ac wedi helpu i dowio cerbyd George Wilson, Middlepool.

'Bydd ei ewythr o bysgotwr, sef Benjamin Clifford Thomas, yn egluro wrth y llys hwn iddo'n wir weld Ronald Harries ar

Hydref yr 16eg. Ond mai canol dydd oedd yr amser. Ac nid ar ôl hynny.

'Am George Wilson, treuliodd ef y nos Wener honno gartref yn ffermdy Middlepool, heb fod allan o gwbl. Pan ofynnodd Wilson a'i wraig pam y mynnodd y cyhuddiedig iddo fod yn eu cwmni'r noson honno, pan nad oedd, dywedodd Ronnie, 'Mi es i â merch i'r pictiwrs yng Nghaerfyrddin, a doeddwn i ddim am i neb wybod hynny.'

'Sut y gallai fod wedi gwneud hyn oll, aelodau'r rheithgor, yn yr amser oedd ganddo?'

Roedd y cwnsler galluog ymhell o orffen ei agoriad, ac er bod yr holl fater yn un llethol o drist, ni ellid peidio â rhyfeddu at ddawn Edmund-Davies wrthi'n adeiladu achos yr erlyniad faen ar faen, ac ar yr un adeg yn malurio gosodiadau'r cyhuddiedig yn ddrylliau. Wrth symud ymlaen, newidiodd ei gwrs, a chyfeirio at y datganiad a wnaeth Ronald Harries yng nghwmni'r Ditectif John Capstick, lle mynnai fod un Mr Williams, y Mount, wedi codi llaw ar John Harries ar y daith i orsaf reilffordd Caerfyrddin. Cofir hefyd fel yr oedd wedi datgan gofid wrth Capstick o glywed fod ei ewythr a'i fodryb wedi marw, gan dystio'i fod yn 'ffefryn' gan y ddau. Meddai Edmund-Davies,

'Aelodau'r rheithgor, byddwch yn clywed Mr Williams, y Mount, yn dweud wrth y llys hwn na welodd ef John Harries o gwbl y bore hwnnw.

'Ni soniodd Ronald Harries un gair yn y datganiad iddo alw mewn swyddfa cyfreithiwr rhwng 11.15 a 11.45 y diwrnod hwnnw.

'Byddwch yn clywed am y cyhuddiedig ar fferm Derlwyn, ar ôl diflaniad Mr a Mrs Harries, yn mynd at ffured oedd wedi ffyrnigo, ac i Ronald Harries ddweud, "Gad i ni roi clowten iddi ar ei phen."

'Foneddigesau a boneddigion y rheithgor, onid yw hwn yn sylw hollol anghyffredin gan ddyn ifanc oedd yn ei ystyried ei hunan fel *ffefryn* ei ewythr a'i fodryb? Onid yw'n eich taro fel sylw dyn ifanc oedd yn gwybod na ddôi ei ewythr a'i fodryb fyth yn ôl?'

Cymerodd y cwnsler amser i'w sylwadau suddo i ymwybod y rheithgor, ac yna, wedi craffu ar y pentwr dalennau oedd o'i flaen, ymsythodd gan ailafael yn ei dasg, a dweud,

'Rwy'n mynd i gyfeirio'n awr at ddyddiad arall sy'n aruthrol o bwysig i'r achos hwn—sef y pedwerydd ar hugain o Hydref.'

Eglurodd y cwnsler i'r cuhuddiedig alw ym Mhendein yn gynnar y bore hwnnw gyda Brian Powell a'i fam. Dyna'r pryd y gofynnodd i Mrs Powell beidio â dangos y gôt *gaberdine* i'r heddlu rhag iddyn nhw dybio mai ef a'i dygodd. Rhoddodd siars hefyd i Brian beidio â dweud wrth y plismyn iddo fod gydag ef yn y Derlwyn fore'r Sadwrn cynt. Ond nad oedd bwys o gwbl am y Sul, na'r Llun dilynol.

Ynglŷn â'r morthwyl y mynnodd Ronald Harries ei fenthyg gan gyfaill, eglurodd Edmund-Davies i'r patholegydd sylwi bod y tolciau crwn ar benglog y ddau a laddwyd yn cyfateb yn union i ben crwn modfedd a hanner y morthwyl hwnnw.

Er bod y naill ffaith yn pentyrru ar ben y llall, roedd yn ymddangos fod stôr gwybodaeth Edmund-Davies yn ddiwaelod. Fel y dôi i ben ag un mater, byddai'n newid ei gyfeiriad a throi at fater arall cwbl wahanol. Ar un wedd, roedd yn anodd dal gafael ar yr holl awgrymiadau a glywid ar lawr y brawdlys: godro . . . gorsaf reilffordd . . . swyddfa cyfreithiwr . . . ffured . . . rhwyd bysgota . . . côt *gaberdine* . . . pen morthwyl . . . Ar ôl edrych yn graff ar y rheithgor o'i flaen, fe'u hanogodd i wrando'n astud ar hanes y trafferth gyda'r banc.

'Byddwch yn clywed,' meddai'n araf, 'fod gan y cyhuddiedig siec am £9 yn ei feddiant ers Hydref y 7fed. Siec a wnaed iddo gan y trancedig, John Harries, yn dâl am deiar. Fe gadwodd y siec hon hyd yr 17eg o Hydref—dyna'r diwrnod cyntaf i neb sylweddoli fod John a Phoebe Harries ar goll. Chafodd y siec honno mo'i rhoi i mewn hyd yr 17eg o Hydref.

'Yn od iawn, fe deleffoniodd y cyhuddiedig reolwr y banc yn Hendy-gwyn ar Daf i ddweud ei fod yn anfon i'r banc siec am

£909. Nid am £9. Roedd £509 i'w roi yng nghyfrif ei rieni, a £400 i'w gyfrif ei hunan. Yr hyn na wyddai, wrth gwrs, oedd sefyllfa cyfrif banc John a Phoebe Harries.

'Pan welodd rheolwr y banc y siec, gwrthododd ei newid. Ei brif reswm dros nacáu oedd mai cyfanswm holl eiddo John Harries mewn tri chyfrif oedd £123. Yr oedd yna resymau pellach, fel y byddwch yn clywed. Mae swyddogion banc yn bur chwim i ganfod ymyrraeth â sieciau.'

Wedi adrodd yr hanes dyrys uchod, aeth y cwnsler rhagddo i ddisgrifio'r cyhuddiedig yn dweud wrth Mrs Kathleen James, Beach Hotel, Pendein, iddo dderbyn llythyr oddi wrth y cwpwl oedd ar goll. Pan ofynnodd hi a oedd wedi hysbysu'r heddlu, ei ateb rhyfedd oedd hwn: 'Naddo, ddim. Gan mai nhw sydd wedi dechrau'r holl helynt, fe gân' nhw ddal ymlaen â'r peth.' Yn awr, o wybod heddiw mai celwydd bwriadol oedd hynny, yna, os nad oedd ganddo ef ddim i'w wneud â'u diflaniad, pam gwau anwiredd yn eu cylch?'

Gyda'r naill bwynt damniol yn dilyn y llall, daeth y cwnsler at y cyfweliad a fu rhwng y Ditectif Arolygydd Glyn Jones a'r cyhuddiedig. Roedd y cuddswyddog wedi awgrymu wrth Ronald Harries nad oedd erioed wedi mynd â John Harries a'i briod i orsaf reilffordd Caerfyrddin ar gyfer taith i Lundain. Sail Glyn Jones dros awgrymu felly oedd y dystiolaeth fod Ronnie wedi treulio'r bore ar fferm Derlwyn, a hynny yng nghwmni llanc ifanc. (Wrth osod yr awgrym o'i flaen, roedd y ditectif wedi cymryd y gofal eithaf o beidio â chyfeirio at neb wrth ei enw.) Ond hyn oedd ateb y cyhuddiedig:

'Mi es â'm hwncwl a'm modryb i orsaf Caerfyrddin. Ni welais Brian Powell o gwbwl yn ystod y bore. Y tro cyntaf i mi'i weld oedd amser cinio, o gwmpas un o'r gloch. Mae dweud fod Brian Powell gyda mi fore Sadwrn yn anwiredd.'

Wedi dyfynnu'r gosodiad uchod, tynnodd Edmund-Davies sylw at y modd y daliwyd Ronald Harries yng nghlymau ei rwyd ei hunan, ac meddai,

'Gall boneddigesau a boneddigion y rheithgor bendroni, fel

finnau, pam y daeth Brian Powell i'w feddwl heb i neb awgrymu unrhyw enw o gwbl?'

Yn dilyn hyn, cyfeiriodd at y bedd a ganfu'r Rhingyll Phillips mewn cae ar fferm Cadno, ac i'r heddlu weld olion cerbyd yn y pridd, olion oedd yn arwain o fewn dim at y bedd. O gymharu, gwelwyd bod y traciau yn y pridd yn cyfateb yn hollol i batrwm olwynion Land Rover Cadno.

'Cyn i mi ddechrau galw ar y tystion i draethu ar ran y Goron, fe garwn nodi un peth arall,' meddai'r cwnsler. 'Pan oedd y plismyn wrthi'n cloddio o gwmpas y bedd yn y cae *kale*, draw yng nghegin fferm Cadno roedd ffotograffydd y wasg yn sgwrsio gyda'r cyhuddiedig, Ronald Harries. Byddwch yn clywed i Ronald ddweud wrtho nad oedd ef yn malio rhithyn pa beth y doent ar ei draws, am ei fod ef yn ddieuog. Dywedodd fod yr heddlu'n chwilio ym mhob man, ac y gallai unrhyw un fod wedi taflu'r cwpwl ar dir ei fferm ef. Ychwanegodd fod pawb yn ei erbyn, ac nad oedd ef, yn enw Duw, yn gwybod dim oll.

'Yna, aeth i fyny'r grisiau, a dod i lawr wedyn gan ddweud fod pobl yn siarad amdano, ac yn mynnu mai ef oedd wedi dyrnu'r ddau. Pan ofynnodd y ffotograffydd iddo pam y dylai feddwl peth o'r fath, nid atebodd air, ond gwisgo'i esgidiau a mynd allan o'r tŷ.

'Aelodau'r rheithgor,' meddai Edmund-Davies yn apelgar, 'rwy'n eich gwahodd i ystyried yn ddwys a oedd hynny'n gydnaws â mawr ofal ffefryn o nai a oedd yn gwbl ddieuog? Ai ynteu, a oedd yn gydnaws ag agwedd person a wyddai'n iawn beth oedd wedi digwydd, a gyda llawer o bethau'n pwyso ar ei feddwl?'

Ar ôl agoriad maith a manwl, roedd hi erbyn hyn yn bnawn pell. Serch hynny, cytunodd y Barnwr Havers y gellid dechrau galw ar y tystion ymlaen ar ran y Goron. Ymddangosodd y rheini yn y drefn a ganlyn:

1 Daniel Allan Thomas, Rhydaman, syrfëwr y Cyngor Sir. Cyflwynodd ef blaniau clir o fferm Cadno ac o ffyrdd y gymdogaeth.

2 Rhingyll T. G. Hughes, Heddlu Sir Gaerfyrddin. Roedd ef

wedi gyrru modur ar hyd tair ffordd wahanol rhwng Cadno a Derlwyn er mwyn mesur yr amser yn ogystal â'r pellter. Amrywiai'r pellteroedd rhwng naw a deuddeng milltir. O yrru yn ystod y nos ar gyflymder rhwng 30 a 40 milltir yr awr, amrywiai'r amseroedd rhwng 18, 18.5 a 23.5 o funudau.

3 Arolygydd F. W. Fox, Heddlu Sir Gaerfyrddin. Cyflwynodd gynllun manwl a wnaeth o fferm Derlwyn a'r iard.

4 Ditectif Ringyll Fred J. Jones, ffotograffydd Heddlu Sir Gaerfyrddin. Cyflwynodd ef sawl ffotograff o Derlwyn, Cadno, y Land Rover, y morthwyl, a'r cyrff yn y bedd.

5 Mrs Rosamund Evans, Tŷ'r Efail, Llanboidy. Tystiodd ei bod wedi adnabod y pâr a laddwyd ers chwe blynedd, ac yn ymweld â hwy'n fisol. Pan alwodd ar y 6ed o Hydref, roedd y cyhuddiedig yno. Arferai gyfarch Mr Harries fel 'Yncl Johnnie'. Gofynnodd Ronnie i'r ddau ddod i Bendein am wythnos o wyliau, a dod â'r gwartheg gyda nhw. Roedd Mrs Harries wedi chwerthin o glywed y fath awgrym.

Wedi gwrando ar y pump uchod, penderfynodd y Barnwr Havers ddwyn y gweithgareddau am y dydd i ben.

11

Drannoeth, fore Mawrth, roedd bywiogrwydd unwaith eto ar sgwâr y dref yng Nghaerfyrddin. Cyrhaeddodd awdurdodau'r heddlu a phendefigion y gyfraith i'r brawdlys, ac wedi i'r Barnwr Havers eistedd yn y brif sedd, rhoes clerc y llys gyfarwyddyd i waith y dydd fynd rhagddo. O fewn dim i'r clerc, yr oedd cyfreithwyr y ddwyblaid yn barod i'r ymrafael, Herbert Edmund-Davies ar ran y Goron, a Vincent Lloyd Jones ar ran yr amddiffyniad. Tra byddai'r naill wrth y llyw, byddai'r llall yn taer wrando neu'n codi nodiadau o fawr bwys nes dod ei gyfle yntau.

Gan mai ef oedd yn erlyn, heb oedi dim hwy, galwodd Edmund-Davies ar dyst cynta'r bore hwnnw, a'r chweched, o ddilyn trefn y diwrnod cynt:

6 Richard Brian Powell, 1 Tai Cyngor, Pendein.

Am fod y bachgen pymthengmlwydd hwn wedi cael anaf drwg i'w droed, cafodd ganiatâd i dystio ar ei eistedd. Cadarnhaodd yr hanesion iddo helpu Ronald Harries ar fferm Derlwyn gydol bore Sadwrn, yr 17eg o Hydref, ac felly'r hwyr yn ogystal. Felly hefyd y Sul a'r Llun dilynol. Nododd fod Austin A40 gan Ronnie, ac iddo egluro wrtho ei fod wedi'i brynu. Disgrifiodd fel yr agorwyd drws y tŷ gyda'r allweddi, ac fel y bu chwilio hwnt ac yma trwy'r ystafelloedd. Cipiwyd ambell declyn, a chafodd gôt *gaberdine* yn rhodd gan Ronnie. (Roedd y dilledyn hwnnw bellach o'i flaen yn y llys fel eitem-arddangos.)

Cadarnhaodd Brian hefyd fel yr ataliodd Desmond Bayliss Ronnie rhag taro'r ffured honno . . . ac i lorri gyrraedd ar gyfer symud gwartheg Derlwyn i fferm Cadno. Soniodd fel y cafodd ei siarsio gan Ronnie i beidio â dangos y *gaberdine* i'r heddlu— 'neu fe fyddan nhw'n meddwl 'mod i wedi dwgyd honno hefyd,' oedd ei reswm, meddai.

Ar ôl i Brian Powell siarad yn helaeth er budd yr erlyniad, cododd y cwnsler, Vincent Lloyd Jones, i'w groesholi. Wrth i'r bargyfreithiwr wasgu arno am amser pur faith, nid oedd yn syndod i dystiolaeth y llanc gymylu ar dro neu ddau, a swnio fel pe bai'n ei groesddweud ei hunan hwnt ac yma. Bu'n tystio ac yn ateb felly am gyfnod o ddwy awr a hanner, profiad a oedd, mae'n siŵr, yn faich pur drwm ar ysgwyddau mor feddal.

7 Mrs Martha Edith Powell oedd y tyst nesaf. Cyd-ddigwyddiad rhyfedd oedd bod Mrs Powell, fel ei mab, Brian, mewn cam-hwyl. Cafodd hi ei chyrchu fel claf o'r ysbyty yng Nghaerfyrddin y bore hwnnw, ei dwyn ar wely olwynion, a'i gosod yn union o flaen y doc lle'r eisteddai Ronald Harries gyda thri warden wrth ei ochr. Trwy gydol yr amser y bu Mrs Powell yn siarad, eisteddai heddferch yn gwmni iddi. O gofio'i gwendid corfforol, trymder ei phrofiad, ac awyrgylch ddieithr y brawdlys, nid oedd yn syndod i'w llais fynd yn doredig fwy nag unwaith.

Esboniodd y byddai ei mab yn helpu Ronnie yn fynych ar fferm Cadno, a bu'n manylu ar y bore Sadwrn cynnar hwnnw pan ddaeth ef i'w thŷ, a gofyn a gâi Brian ddod i helpu perthnasau iddo draw yn Llangynin. Nododd bopeth a gofiai am symud-iadau Brian rhwng Cadno a Derlwyn cyn i'w mab fynd i ffair Penfro y noson honno.

Dyna'r pryd y sylwodd hi fod Brian yn gwisgo côt nas gwelodd ganddo o'r blaen. Pan eglurodd yntau iddo'i chael gan Ronnie fel rhodd, pwysodd ar ei mab i'w dychwelyd iddo ar unwaith. Ni fynnai Ronnie mohoni am ei bod yn rhy fawr, meddai ef. O deimlo'n fwyfwy anesmwyth ynghylch y cyfan, trosglwyddodd Mrs Powell y gôt *gaberdine* i'r heddlu. Ac i gadarnhau hynny, pwyntiodd at yr union gôt honno oedd ar fwrdd y llys o'i blaen.

Disgrifiodd ymhellach fel y byddai Ronnie yn galw'n eithaf mynych yn ei chartref er mwyn cael Brian i'w helpu. Fore Sadwrn, wythnos ar ôl y 'diflaniad', gofynnodd Ronnie iddi a oedd yr heddlu wedi galw gyda hi, a bwriodd hithau'r cwestiwn yn ôl i'w gyfeiriad yntau. O ddeall fod yr heddlu wedi bod gydag ef gofynnodd iddo: 'Beth maen nhw 'moyn gyda *chi*?' Atebodd ef fod rhywun wedi torri i mewn i'r tŷ yn Llangynin a lladrata cloc oedd ar y wal.

Wrth iddi ddarllen adroddiadau y papur newydd, roedd hi

wedi gyrru Brian at yr heddlu a pheri iddo ddweud popeth a wyddai.

Er i Mrs Powell gael ei chroesholi gan Vincent Lloyd Jones ar ran yr amddiffyniad, ni newidiodd yr un dim ar ei thystiolaeth. A phan ddaeth ei chyfraniad i ben, a'r heddferch yn paratoi at olwyno'r gwely allan o'r llys, plygodd y Barnwr at Mrs Powell, a dweud wrthi'n fonheddig, 'Diolch i chi am ddod'.

8 Mrs Margaret Thomas, Bryn Villa, Llangynin, oedd y nesaf i'w galw ymlaen. Dywedodd ei bod yn eistedd wrth ochr John a Phoebe Harries yng nghwrdd Diolchgarwch Capel y Bryn ar Hydref 16eg; iddi wedyn gerdded gyda nhw cyn belled â'r Derlwyn gan ffarwelio gyda 'Nos da'. Ni bu unrhyw sôn gan yr un o'r ddau ynghylch mynd i ffwrdd am wyliau ar y trannoeth.

9 Robert William Morris, ffermwr, Blaenffynhonnau, Llangynin. Ef oedd y cymydog oedd wedi gadael ei gerbyd yn iard Derlwyn tra byddai yn y capel ar nos yr ŵyl; wedi'r oedfa, galwodd yng nghegin Derlwyn, a gweld John a Phoebe Harries wedi diosg eu cotiau uchaf ac yn eistedd o flaen y tân. Pan soniodd i Ronnie Harries alw yno, gofynnwyd iddo bwyntio ato yn y llys. Gwnaeth yntau felly i gyfeiriad y doc, a gwenodd Ronnie arno.

Dyna'r noson y symudodd Ronald Harries y Land Rover er mwyn gwneud lle i'r fen droi allan i'r ffordd. 'Roedd e'n eistedd yn y Land Rover fel yr oeddwn i'n ymadael,' meddai Mr Morris. 'Roedd hi wedi troi hanner awr wedi wyth. Wnaeth e ddim gyrru i ffwrdd o'm blaen i.'

10 Glanville John Williams, gwas fferm, Blaenffynhonnau. Roedd ef yn sefyll ar ffordd y pentref pan welodd fen Mr Morris yn pasio heibio oddeutu 8.50 y noson honno. Ni welodd Land Rover yn gadael Derlwyn.

11 Shirley Frances Irene Trickett, gweinyddes yn y Willow Cafe, Caerfyrddin. Roedd hi'n gweithio gydol bore Sadwrn, Hydref 17eg, ond ni welodd yno neb a fyddai'n debyg i John a Phoebe Harries.

12 Harry Woodward. Gweithiai fel casglwr tocynnau yng ngorsaf y rheilffordd yng Nghaerfyrddin. Ni allai gofio i neb a

fyddai'n debyg i John a Phoebe Harries basio heibio iddo o gwmpas yr orsaf.

13 David M. C. Charles, cyfreithiwr yng Nghaerfyrddin. Dywedodd fod Ronald Harries wedi galw yn ei swyddfa ar Sadwrn, Hydref 17eg, rhwng 11.15 a 11.45 y bore, a thalu swm o arian i'r cwmni. O'i groesholi, amlygwyd ei bod yn amhosibl i Ronald Harries fod ar fferm Derlwyn gydol y bore Sadwrn hwnnw, a bod yn swyddfa'r cyfreithiwr yn ogystal. (Yr awgrym eglur gan yr amddiffyniad oedd iddo felly fod wedi bod yn nhre Caerfyrddin, yn union fel y bu'n taeru o'r cychwyn cyntaf.)

Nid yw'n cymryd ond ychydig eiliadau i ddarllen nodiadau byrion fel hyn am gyfraniad gwahanol dystion mewn llys barn. Ond yn ystod gweithgareddau llys o'r fath, yn araf, araf yr â'r cyfan rhagddo. Mae'n rhaid wrth bwyll, ac y mae'n rhaid wrth drefn. Ac ni newidir honno er mwyn neb na dim.

I gychwyn, mae'n rhaid galw'r tyst i ddod i'w lwyfan-tystio gerbron y barnwr a'r rheithgor. Rhaid ei gyflwyno wrth ei enw. Rhaid adrodd y llw air am air. Rhaid i'r bargyfreithiwr ei gyfar-wyddo fesul cam, ac o dipyn i beth, bydd y llys wedi cael amcan o'r hyn a welodd, neu beth a glywodd y tyst; clywed yn ogystal â gweld, gan amlaf.

Pan ddaw i ben â thystio, nid yw wedi gorffen wedyn chwaith, o raid. Y tebygrwydd yw y bydd yr 'ochr arall' am ei groesholi rhag ofn bod gwendid yn ei honiadau, ac fe all hynny fod yn ddigon i droi'r fantol. Wedi'r cyfan, mae brawdlys yn ymladd brwydr wirioneddol lem, ac fe ddigwydd honno'n bennaf rhwng y cyfreithiwr sy'n erlyn ar ran y Goron a'r cyfreithiwr sydd wedi ymdynghedu i amddiffyn y cyhuddiedig.

Ar un wedd, gellir dadlau bod uchel safle'r bargyfreithwyr eu hunain yn y fantol. Ond ar wedd arall (sy'n anhraethol bwysicach, ac yn enwedig felly cyn dileu'r crocbren fel cosb) onid oedd union fywyd y cyhuddiedig yn y glorian? Beth petai person yn cael ei grogi ar gam?

Gan hynny, mae'n rhaid i gyfiawnder gael ei weinyddu'n ofalus ryfeddol. Rhaid ymroi i ogrwn ymaith fân us y gau oddi wrth rawn y gwirionedd. Felly, nid treulio'n fyrbwyll trwy eiliadau na munudau a wneir mewn llys barn, ond treulio trwy oriau poenus o feithion. A chyn pen dim, bydd diwrnod cyfan wedi mynd heibio, ac yna ddiwrnod arall, ac un wedyn, gyda swm enfawr o waith yn dal i alw am sylw manwl ar drannoeth arall.

Felly'n union y daeth yn ddiwedd pnawn unwaith eto yn y Cwrt Mawr yng Nghaerfyrddin. Ac er i'r Barnwr Havers ganiatáu i dyst arall ddod i lawr i draethu, ni bu'n hir cyn penderfynu dirwyn popeth a gadael y cyfan hyd drannoeth.

Nid yw neb, na barnwr na thyst na throseddwr, yn gallu rhoi o'i orau os yw'n dechrau blino. Pan lesgâ'r corff, bydd y meddwl yntau'n cloffi.

12

Fore Mercher, roedd peirianwaith y brawdlys yn troi unwaith yn rhagor, ac Edmund-Davies wedi galw ar yr Arolygydd Frederick Fox i roi ychwaneg o dystiolaeth. (Yn wir, y swyddog hwn oedd yr un y galwyd arno i dystio ar ddiwedd y pnawn blinedig cynt, cyn i'r Barnwr, o'i gweld yn hwyrhau, dynnu'r gweithgareddau i'w terfyn. Fe gofir hefyd, i'r un un swyddog ymddangos ar y dydd Llun cyntaf wrth gyflwyno'r planiau a wnaeth o iard a ffermdy'r Derlwyn.)

Ar y dydd Mercher hwn, bu'r Arolygydd Fox yn disgrifio fel yr aeth mintai, rhwng pedwar a chwe chant mewn nifer, i gribo'r ardaloedd ar yr 8fed a'r 16eg o Dachwedd. Soniodd am yr 16eg o Dachwedd, pan fu'n cloddio yn y cae *kale* ar fferm Cadno, fel y canfu ymylon dillad yn y pridd, ac wedi mwy o ddadorchuddio, iddo weld corff dynes a chôt-law amdani, a menig am ei dwylo.

Fymryn oddi wrth y bedd, roedd clawdd perthog, ac yn hwnnw gwelodd fwlch wyth troedfedd o led, gyda phedwar postyn yn y ddaear, a'r rheini'n bur llac yn y pridd. O gwmpas y pyst yr oedd brigau crin wedi'u gwasgaru. Gallasai Land Rover basio'n rhwydd o'r ffordd fawr i mewn i'r cae trwy'r bwlch. Ni welwyd un math arall o gerbyd ar fferm Cadno a fedrai basio trwy'r bwlch hwnnw.

Canfu fod traciau olwynion yn arwain hyd at saith llathen i'r bedd. Er bod carnau gwartheg wedi dileu llawer o'r olion, eto gellid mesur lled y trac, a oedd yn bedair troedfedd a naw modfedd, a'u cael yr un lled yn union â Land Rover fferm Cadno.

Cydnabu nad oedd arwydd fod un twll arall wedi'i balu yng nghaeau'r fferm.

Tystiodd hefyd na chymerai ond ugain munud i dyllu hyd at ddyfnder y bedd yn y cae.

Pan gafodd yr Arolygydd Fox ei groesholi ar y pwynt hwnnw, awgrymwyd wrtho y byddai'n siŵr o gymryd mwy na dwy waith yr amser i gyflawni'r fath orchwyl. Atebodd yr Arolygydd nad oedd yn cytuno â'r awgrym y cymerai gymaint â hynny o

Man y claddu.

Y gladdfa o gyfeiriad arall.

amser i greu twll a fyddai'n ddigon i gladdu dau gorff. 'Rhoddais brawf ar y gwaith,' meddai, 'a cheibio twll ar fy mhen fy hunan, gan gymryd gofal fy mod yn palu fel dyn a brys arno.'

Fe'i croesholwyd hefyd er mwyn ceisio'i gael i gyfaddef nad oedd Ronald Harries wedi dweud yr hyn yr honnid iddo'i ddweud mewn cyfweliadau cynnar â'r heddlu. Ond nid oedd siglo o gwbl ar dystiolaeth y swyddog Fox.

14 Islwyn Howells, masnachwr cludiant, Fron Haul, Llanddowror, oedd y nesaf i'w alw. Tystiodd iddo, ar gais Ronald Harries, ddod â'i lorri i'r Derlwyn ar Hydref 19eg i gludo pump o'r gwartheg i fferm Cadno. (Fodd bynnag, eglurodd ymhellach i Mr Isaac Harries, Caversham, Reading—brawd John Harries—ei gyfarwyddo i gludo'r gwartheg yn ôl i'r Derlwyn. Gwnaeth yn unol â'i gais ar Dachwedd 21ain.)

Wrth lwytho lorri wartheg ar bwys twmpath lle tyfai eiddew yn glymau, digwyddodd Lawrence Evans, oedd yn ei helpu, roi'i droed ar rywbeth yn y prysgwydd, ac o edrych, gwelodd mai morthwyl oedd yno. (Wrth fynegi hyn, pwyntiodd Islwyn Howells at y morthwyl oedd ar fwrdd y llys fel eitem-arddangos, a chadarnhaodd mai hwnnw oedd yr erfyn y daethpwyd ar ei draws mor ddamweiniol.)

'Y peth cyntaf a welais,' meddai, 'oedd pen y morthwyl, a'i goes ynghlâdd yn yr eiddew. Am y gwyddwn fod yr heddlu'n chwilio am forthwyl, fe'i rhoddais iddyn nhw.'

15 Lawrence Evans, Fferm Penallycourt, Dinbych-y-pysgod, perthynas i'r teulu. Cadarnhaodd y cyfan ynglŷn â darganfod y morthwyl ar dir Cadno.

16 Simon John Phillips, masnachwr amaethyddol, Crymych, brawd-yng-nghyfraith Phoebe Harries.

Ar ôl teleffonio teulu Derlwyn, ddydd Gwener, Hydref 16eg, trefnwyd i John Harries ei alw yn ôl ar y ffôn cyn un o'r gloch ddydd Sadwrn. Ni wnaeth hynny. Nac ychwaith sôn y bwriadai fynd am wyliau. O golli pob cyswllt â'r teulu, aeth ef a'i wraig i'r Derlwyn nos Fawrth, a chael fod pob man dan glo.

Cuddfa'r morthwyl.

Y morthwyl yn y twmpath eiddew.

Ddydd Mercher, aeth ef a'i frawd-yng-nghyfraith, Lawrence Davies, i'r Derlwyn, a gweld Ronald Harries yno'n bwydo'r ieir. Esboniodd ef wrthynt i'r ddau fynd am ddeng niwrnod o wyliau i Lundain.

O'i holi pam ei fod ef yn defnyddio modur ei ewythr, atebodd iddo gael benthyg y car i fynd a dod o'r Cadno, a bod 'Yncl Johnnie' wedi rhoi pumpunt iddo ar gyfer costau petrol. Ychwanegodd eu bod wedi trefnu'r gwyliau hyn ers cryn dair wythnos. Ymddangosai Ronnie yn nerfus gan danio'r naill sigarét ar ôl y llall.

17 Lawrence Davies, Cilgennydd, Login, amaethwr, a brawd Mrs Phoebe Harries.

Galwodd yn Derlwyn ddydd Mawrth, Hydref 13eg. Roedd Ronald Harries yno bryd hynny. Galwodd eto ar y 15fed gan drefnu i'w gweld ar y dydd Mawrth dilynol. Ni chlywodd sôn o gwbl eu bod am fynd i ffwrdd.

18 Stanley Ronald Harding, ffotograffydd gyda'r *Daily Mirror.*

Cadarnhaodd fod yr hyn a ddywedodd y cwnsler Edmund-Davies amdano wrth y rheithgor yn gwbl gywir, sef iddo gael sgwrs â Ronald Harries yn ffermdy Cadno, a'i gael ar bigau'r drain am fod y plismyn a phawb yn siarad amdano . . .

Wrth ei groesholi, mynnai'r cwnsler Vincent Lloyd Jones ar ran yr amddiffyniad fod Mr Harding yn ymelwa ar y cyfan er mwyn poblogeiddio'r *Daily Mirror* . . . ei fod hefyd yn cynffonna i'r Ditectif Arolygydd Capstick . . . ei fod wedi prynu blodau a siocled i fam Ronnie er mwyn cael ffafrau ganddi, ac mai gorliwio'r cyffro oedd prif amcan y ffotograffydd.

Gwadodd Mr Harding hynny oll gan ddweud ei fod yno gyda'r bwriad unswydd o ddod o hyd i'r gwir y tu ôl i'r hanes.

19 Dr R. C. E. Freezer, patholegydd y Swyddfa Gartref.

Gwelodd ef gorff y wraig yn y ddaear, a'r gŵr odani. Roedd eu cyflwr wedi cadw gystal am iddyn nhw gael eu claddu'n syth ar ôl marw. Disgrifiodd batrwm yr ergydio a fu ar ben y ddau. Er bod gwrando ar fanylu ar enbydrwydd o'r fath yn brofiad ysigol i'r perthnasau yn y llys, eto, yn ôl gofynion y gyfraith, nid oedd gan y meddyg ddewis arall.

Yn y croesholi, bu peth trafod ar y dull 'di-boen' diweddar o ladd anifeiliaid, ac y gallasai pethau fod wedi digwydd felly yn y cyswllt hwn, ond ni ddaeth dim o'r awgrym hwnnw.

20 Leslie Evans, Cross Inn, Talacharn.

Ar nawn Gwener, Hydref 16eg, dangosodd Ronald Harries iddo gerbyd Austin du, a dweud ei fod wedi'i brynu yng Nghaerdydd am £600 . . . a bod teulu Derlwyn wedi mynd i Lundain.

Erbyn yr 20fed o Hydref, bu'r heddlu'n gweld Ronnie (meddai ef ei hun) ynglŷn â damwain gyda Land Rover ar ffordd Caerfyrddin.

Pan aeth y plismyn i chwilio am gyrff John a Phoebe Harries, dywedodd Ronnie wrth Leslie Evans, 'Fe gân' nhw chwilio faint a fynnon nhw, ond welan nhw mohonyn nhw yr ochr yma i Gaerdydd.' Ychwanegodd hefyd: 'Rwyf i wedi bod yng Nghaerfyrddin gyda Mr Capstick, ac fe geisiodd Capstick fy meddwi er mwyn cael rhywbeth mas ohono' i.'

(Wrth iddo adrodd y sylw pryfoclyd uchod, er ei waethaf, aeth y tyst i wenu'n llydan. Ond trodd y cwnsler Edmund-Davies ato, a dweud, 'Peidiwch â gwenu, os gwelwch yn dda. Mae hwn yn fater o'r difrifwch eithaf.' Cydnabu Mr Evans iddo wenu am iddo ystyried yr awgrym am Capstick yn un pur ddireidus.)

21 Hubert Gwyn Thomas Lewis, Gorse Hill, Pendein.

Tystiodd fel yr oedd Ronald Harries wedi mynnu cael benthyg y morthwyl a ddefnyddiai ef ar y pryd. Ac ar y noson honno, sef Hydref 16eg, aeth â'r erfyn i ffwrdd gydag ef.

Cytunodd hefyd mai'r un a gâi ei arddangos ar fwrdd y llys oedd y morthwyl hwnnw.

Wrth ei groesholi, awgrymodd Vincent Lloyd Jones na bu erioed sgwrs rhwng Gwyn Lewis a Ronald Harries ynglŷn â'r morthwyl. Taerodd ymhellach na ddywedodd Ronald Harries erioed wrtho ei fod wedi colli'r morthwyl oddi ar ei dractor. Mynnai'r tyst hefyd mai'r morthwyl a welid ar fwrdd y llys oedd yr un a fenthyciodd ef (Gwyn Lewis) o Sefydliad Arbrofi'r Weinyddiaeth ym Mhendein.

22 John Lewis Thomas, Ashwell, Pendein.

Y tro cyntaf iddo weld Austin A40 du gan Ronald Harries oedd y 12fed o Hydref, a'r cyhuddiedig yn dweud iddo'i brynu gan ffermwr o Landeilo am £550.

'Nos Wener, Hydref 16eg, euthum i'r gwely rhwng 10.15 a 10.45,' meddai Mr Thomas. 'Ymhen ugain munud arall, daeth Ronnie i'r tŷ. Byddai'n rhaid iddo basio trwy ein llofft ni i fynd i lofft ei wraig a'r plentyn . . .

'Daeth yr heddlu i'n tŷ ni i weld Ronnie ar y 23ain o Hydref. Ar ôl iddyn nhw ymadael, eglurodd Ronnie eu bod yn holi ynglŷn â damwain rhwng y Land Rover a cherbyd rhyw ffermwr . . .

'Ar ôl i guddswyddogion alw i'w weld ar y 3ydd o Dachwedd, dywedodd Ronnie nad oedd angen pryderu ynghylch unpeth, am ei fod ef wedi bod yn helpu'i ewythr Clifford gyda rhwyd bysgota. Roedd yn ogystal wedi mynd â phobl i wasanaeth Diolchgarwch yn Eglwys Gymun, a hefyd wedi bod yn towio car.

'Ar y noson wedi'r chwilio ar fynydd Maros, Tachwedd 15fed, gofynnais i Ronnie, "Oeddet ti ddim yn Llangynin ar y nos Wener honno?"'

Er i groesholi ddigwydd, ni ddaeth dim o bwys allan o hynny.

23 William George Wilson, Fferm Middlepool, Pendein.

'Rywbryd yn ystod mis Medi,' meddai'r tyst, 'dywedodd Ronnie wrthyf ei fod yn tyllu am ddŵr ar fferm Cadno, a'i fod wedi cyrraedd dyfnder o dair troedfedd—am eu bod yn brin o ddŵr ar y fferm.

'Pan holais a oedd wedi clywed oddi wrth y ddau oedd ar goll, atebodd, "Naddo, 'fyddai Cymro fel yna ddim yn trafferthu sgrifennu llawer".'

Wedi croesholi Mr Wilson, tystiodd ef na bu Ronnie yn towio'i gar o Bendein oddeutu 9.30 ar nos Wener, Hydref 16eg.

24 Lilian Wilson, gwraig yr uchod.

'Gofynnais i Ronnie Harries,' meddai Mrs Wilson, 'pam y dywedodd wrth ei fam ei fod "i lawr gyda ni" ar nos Wener,

Hydref 16eg, a'r ateb oedd iddo fynd â merch i'r pictiwrs yng Nghaerfyrddin, ac nad oedd am i neb wybod hynny.'

25 Thomas Peter Pearce, gyrrwr bws o Dalacharn.

Tystiodd ei fod yn perthyn i Ronald Harries. Roedd wedi galw yn fferm Cadno, a Ronnie wedi'i sicrhau, 'Dwed wrth y wraig am beido â poeni. Sôn a siarad yw'r cyfan i gyd.'

Bu tri ar ddeg yn tystio yn ystod y diwrnod hwnnw, a rhwng gwrando a holi, ac wedyn swm o groesholi, daeth yn derfyn ar bnawn arall yn y Cwrt Mawr.

13

Roedd hi bellach yn ddydd Iau, pedwerydd diwrnod y brawdlys, gydag Edmund-Davies yn dal i alw ar y tystion ymlaen.

26 David Cecil Davies, Talacharn, oedd y cyntaf y bore hwnnw, a'i gyfraniad ef oedd sôn amdano'i hunan ynghyd â saith arall yn dychwelyd yn ei fen o *Whist Drive* ym Meidrim. Roedd hi tua 11.30 ar nos Wener, Hydref 16eg. Wrth basio trwy Sanclêr ychydig cyn hanner nos, gwelodd Land Rover Ronald Harries yn gyrru i gyfeiriad Sanclêr. Er iddo adnabod rhif y cerbyd yn ddiogel—GBX 98—ni allai ddweud iddo adnabod y gyrrwr.

27 William John Morris, Stryd Fawr, Sanclêr.

Ar nos Wener, Hydref 16eg, roedd ef yn gweithio'n hwyr yn ei siop radio, ac wrth gerdded tua'i siop, daeth cerbyd o'r tu ôl iddo, a chofiai i Land Rover ei basio, gyda'r rhif GBX 98. Ni allai yntau daeru pwy oedd y gyrrwr.

28 Kathleen Helen James, Beach Hotel, Pendein.

Am iddi deimlo'n wantan cyn dechrau tystio, cafodd wydraid o ddŵr, a chaniatawyd iddi siarad ar ei heistedd. Wrth i Edmund-Davies ei holi, aeth pethau'n ormod iddi unwaith yn rhagor a chladdodd ei phen yn ei dwylo, yn methu'n deg â dwyn dim i gof.

'Cymerwch ddigon o amser,' cysurodd y cwnsler hi, 'a pheidiwch â brysio o gwbwl.'

'Pan oedd Ronnie draw acw,' meddai Mrs James wedi cael ei chefn ati, 'edrychodd trwy ffenest y gwesty i gyfeiriad fferm Cadno, a dweud, "Ddawan nhw ddim o hyd iddyn nhw draw fan'na. Fi yw'r unig un sy'n gwbod ble maen nhw." Gofynnais innau ym mhle, ac atebodd yntau, "Yn Llundain, mewn gwesty bach yn Stockwell, bedair milltir o Bont Llundain." Gofynnais a oedd wedi hysbysu'r heddlu, a'i ateb oedd, "Naddo. Nhw sy wedi dechre'r peth. Fe gân' nhw ddal ymlaen ag e".'

29 Benjamin Clifford Thomas, Eldern House, Pendein, ewythr Ronald Harries.

'Ar ganol dydd, Hydref 16eg,' meddai Mr Thomas, 'bu Ronnie

yn fy helpu i dynnu rhwyd bysgota o draeth Pendein . . . nid gyda'r nos y digwyddodd hynny. Rwyf wedi arfer trapio cwningod ar fferm Cadno, a defnyddio Land Rover i gario'r trapiau. Ni sylwais erioed fod twll wedi'i gloddio yno. Rwyf wedi trapio cwningod yn y cae *kale* lle canfuwyd y cyrff. Er mwyn cael y Land Rover i'r cae hwnnw, byddai gofyn imi symud y pyst a'r dreiniach.'

30 Tudor E. Williams, The Mount, Llangynin.

Mewn datganiad cynharach i'r heddlu, roedd Ronald Harries wedi dweud i Mr Williams godi llaw ar John Harries ar y daith i ddal y trên yng Nghaerfyrddin ar Sadwrn, Hydref 17eg. Tystiodd Tudor Williams nad oedd gwirionedd o gwbl yn yr honiad hwnnw.

31 Jeffrey Bowen Evans, Plas Marl, Sanclêr.

Aeth ef i fferm Cadno ar Hydref 23ain i holi am deulu Derlwyn, a chael y stori 'gwyliau Llundain' gan Ronnie, gydag addewid y câi wybod eu hynt ganddo os clywai oddi wrthynt.

32 Victor Samuel Rees, Tudor Hotel, Dinbych-y-pysgod.

Ar fore Sadwrn, Hydref 30ain, cafodd ef neges teleffon gan fam Ronald Harries yn gofyn iddo fynd i Gaerfyrddin i gyrchu John a Phoebe Harries oddi ar y trên. Aeth i'r Cadno i holi ynghylch amser y trên, ond erbyn hynny, dywedwyd wrtho am beidio â mynd.

33 Howell Henry Harries, Penybont, Meidrim (ewythr Ronnie).

Ar Dachwedd 9fed, aeth i'r Cadno i holi Ronnie beth oedd wedi digwydd i'w ewythr a'i fodryb gan ofyn iddo pwy tybed a allasai fod wedi peri niwed i'r ddau ar ôl iddo ef eu gadael y noson honno. Cododd Ronnie ei freichiau i'r awyr a dweud, 'Os gwnaeth rhywun niwed i'r ddau, fuodd y dwylo hyn ddim yn agos atyn nhw.'

Wrth fân-ddadlau am y gôt *gaberdine*, dywedodd gwraig Ronnie wrtho, 'Mae hi'n anodd dy goelio di, Ronnie. Rwyt ti wedi bod yn gelwyddgi erioed.'

34 Harold John Jenkins, Rheolwr cangen Banc y Midland, Hendy-gwyn ar Daf.

Tystiodd iddo gael neges ar y ffôn gan Ronald Harries ei fod yn anfon siec am £909 i'r banc, gyda chyfarwyddyd sut i'w rhannu. 'Cefais y siec yn ôl o fanc Sanclêr,' meddai Mr Jenkins, 'ac arni'r nodiad—*Signature differs*.'

35 John Jones, Rheolwr Banc y Midland, Sanclêr.

'Cadwai John Harries ei gyfrif yn fy manc i,' meddai Mr Jones. 'Roedd tri rheswm dros imi wrthod arddel y siec hon am £909. Yn gyntaf, nid oedd gan John Harries yr arian i gyfateb iddi. Yn ail, roedd hi wedi cael ei newid. Yn drydydd, doeddwn i ddim yn fodlon mai hwn oedd llofnod arferol ein cwsmer, John Harries . . . Nid oedd John Harries y math o ddyn i sgrifennu siec am £909 pan nad oedd cyfanswm ei gyfrif ond yn £123.'

Diddorol oedd ei sylw y byddai'n arfer gan John Harries adael llinell gyntaf y siec yn wag. Ond ar y siec hon ysgrifennwyd ar y llinell gyntaf y geiriau *nine hundred and.*

(Am fod y siec honno a llyfr bonion sieciau wedi eu cyrchu o'r banc, ac o'r Derlwyn, i'w harddangos ar fwrdd y brawdlys, bu Edmund-Davies a Vincent Lloyd Jones wrthi'n archwilio'r rheini gyda chwyddwydr am gryn amser.)

36 Dr Wilson Reginald Harrison, Cyfarwyddwr Gwyddor Fforensig y Swyddfa Gartref, Ffordd Tŷ Glas, Llanisien, Caerdydd.

Tystiodd i'r dyddiad gwreiddiol ar y siec, sef *7th October 1953* gael ei newid i *17th* trwy ychwanegu '1' o flaen y '7th'. Roeddid wedi ysgrifennu dros enw'r talai, sef 'J. L. Harries', ond heb gyffwrdd â'r atalnod. Am y llinell gyntaf *amount payable,* ni bu ysgrifennu dros honno am nad oedd ysgrifen arni o gwbl ar y cychwyn, yn ôl tyb Dr Harrison.

Addefai'r arbenigwr fod golwg mor eithafol o aflêr ar y siec fel na allai ef brofi dim yn derfynol—dim ond bod pob lle i amau nad yr un un llaw a sgrifennodd y cyfan oedd arni.

37 Emlyn Glyndwr Davies, Prif swyddog gwyddonol y Labordy Fforensig.

Ynglŷn â dillad y ddau yn y bedd, tystiai Mr Davies fod peth staen gwaed ar gefn macintos y dyn, yn ogystal â'r ddynes. Nid oedd arwydd o staen felly ar eu dillad mewnol.

Am y siaced las a wisgai Ronald Harries, canfu fod arlliw

cynnil o waed dynol ar du mewn i'r ddwy lawes; felly hefyd yr hances oedd ym mhoced y frest. Canfuwyd olion ysgafn o'r fath y tu allan ac o'r tu mewn i siaced frown a wisgai.

Er nad oedd arwydd o ddim oll ar y morthwyl, awgrymodd Mr Davies wrth iddo gael ei groesholi, y gallasai glawogydd fod wedi golchi'r cyfan ymaith.

38 Ditectif Ringyll Kenneth Watkins, C.I.D., Heddlu Sir Gaerfyrddin.

Ar Hydref 22ain, aeth gyda'r Prif Arolygydd William Lloyd i archwilio fferm Derlwyn . . . canfod dillad ar gyfer eu golchi yn y bath . . . a darn o gig ar gyfer ei goginio yn y popty. Pan alwodd Ronald Harries yno, cafodd stori'r 'gwyliau Llundain' ganddo.

39 Ditectif Ringyll William Heddon o Scotland Yard.

Tystiodd iddo ef gymryd meddiant o ddillad Ronald Harries (a welid fel eitemau-arddangos yn y brawdlys.) Cafodd y swyddog bob cymorth gan Harries i'w cymryd.

40 Ditectif Gwnstabl Thomas Gerald Lawford, C.I.D. Heddlu Sir Gaerfyrddin.

Ar Hydref yr 22ain ym Mhendein, tystiodd iddo ofyn i Ronald Harries ddod gyda'r heddlu i'r Derlwyn er mwyn archwilio'r tŷ a'r cwmpasoedd. Atebodd Ronnie ef, 'Ddawa i gyda chi'n awr, dim ond i fi nôl yr allweddi o'r Cadno. Dyw allweddi'r tŷ ddim gyda fi, dim ond rhai'r tai mas a'r gegin gefen.'

41 Ditectif Arolygydd Glyn Jones, C.I.D. Heddlu Sir Gaerfyrddin.

'Am chwarter wedi tri ar y 25ain o Hydref, gwelais Ronald Harries ar fferm Cadno,' meddai. 'Pan ofynnais a garai ychwanegu at y datganiad a wnaeth eisoes i'r heddlu, atebodd, "Dwi ddim yn neud rhagor o ddatganiadau. Dwi 'di cael 'y nghynghori gan 'y nghyfreithiwr i beido â gweud dim mwy".'

'Wrth sgwrsio ymhellach, dywedodd wrthyf fod ei ewythr, John Harries, wedi newid y siec £9 i £909. Taerodd hefyd nad oedd Brian Powell gydag ef o gwbl yn ystod bore Sadwrn Hydref yr 17eg.'

42 Ditectif Uwch Arolygydd John Capstick, New Scotland Yard.

Tystiodd iddo ef a'r Ditectif Ringyll Heddon, ar Dachwedd 6ed, ymgymryd â'r dasg o ddod o hyd i Mr a Mrs John Harries. Yn gynnar ar nawn Llun, Tachwedd yr 16eg, aeth i gae ar fferm Cadno gyda swyddogion eraill o'r heddlu, a gweld cyrff John a Phoebe Harries. Am 12.30 y pnawn hwnnw, aeth i ffermdy Cadno yng nghwmni'r Uwch Arolygydd William Lloyd, ac yno gwelodd y cyhuddiedig, Ronald Harries, gyda'i fam a'i dad.

'Dywedais wrtho, Swyddogion yr heddlu ydym ni. Rydym wedi canfod dau gorff mewn bedd newydd ei dorri yn eich cae uchaf chi ar dir Cadno. Credwn mai cyrff John a Phoebe Harries, Derlwyn, ydyn nhw. Ddowch chi gyda ni i orsaf Heddlu Sanclêr, am fod gan y plismyn lawer o gwestiynau i'w gofyn i chi, a'r cyfan ynglŷn â'ch symudiadau ar nos Wener, Hydref 16eg, a bore Sadwrn yr 17eg o Hydref?'

Cytunodd Ronald, ynghyd â'i dad a'i fam, i fynd yno. Wedi i Ronald ofyn a gâi ei fam deleffonio'r cyfreithiwr, aeth hithau i wneud hynny.

Yn ddiweddarach, fe gaed datganiad gan Harries . . . (roedd hwnnw ar fwrdd yr eitemau-arddangos yn y llys.)

Dywedodd Capstick ei fod yn bresennol am 7.40 yr hwyr hwnnw, pan fu i'r Uwch Arolygydd William Lloyd gyhuddo Ronald Harries (yng ngŵydd ei gyfreithiwr) o lofruddio Mr a Mrs Harries, gan ei rybuddio yr un pryd. Ymatebodd yntau, 'Rwy'n ddi-fai ac yn ddieuog.'

Wrth groesholi, gofynnodd Vincent Lloyd Jones a oedd yn wir nad oedd y Ditectif Capstick wedi penderfynu cyhuddo Harries wrth yrru tua gorsaf yr Heddlu yn Sanclêr:

Capstick: Digon gwir.

V.Ll.J.: Er gwaetha'r holl wybodaeth oedd gennych chi am yr achos?

Capstick: O, ie.

V.Ll.J.: Gawsoch chi sgwrs o gwbwl â Howell Henry Harries ar Dachwedd y 15fed?

Capstick: Do. Credaf imi'i weld ar ddydd Sul.

V.Ll.J.: Carwn awgrymu eich bod wedi dweud wrtho, 'Mae'n rhaid bod tri neu bedwar yn yr helynt yma.'

Capstick: Ni ddywedais beth felly erioed wrth neb.

Ac felly y daeth achos yr erlyniad i ben ar bedwerydd dydd y prawf.

14

Bellach, roedd hi'n ddydd Gwener yn hanes y brawdlys yng Nghaerfyrddin. Er pan agorwyd y Cwrt Mawr fore'r Llun cynt, bu degau wrthi'n cyflwyno tystiolaeth ar ôl tystiolaeth, heb anghofio'r agoriad dechreuol hirfaith hwnnw gan y cwnsler Herbert Edmund-Davies ar ran y Goron. At hynny oll, torrai'r Barnwr Havers i mewn ar adegau er mwyn cael goleuni ar ambell bwynt, neu gyfarwyddo rhywun gyda phwynt arall. Ac wrth reswm, bu'r bargyfreithwyr wrthi'n gyson yn ymladd eu gwahanol frwydrau, yn dadlau a chroesdynnu, yn chwilio am gryfder neu wendid yng ngosodiad y gwrthwynebydd, a gwrando'n daer ar bob sill a leferid rhag ofn bod croesddweud neu anghysondeb ar gerdded.

Mewn achos mor ddifrifol â hwn, achos yr oedd yn rhaid i lawer iawn o dystion adrodd eu honiadau, a'r rhan fwyaf yn cyfeirio at yr un math o ffeithiau, yn anorfod wedyn fe geid swm helaeth o siaradwyr oedd yn tueddu i ddweud pethau tebyg iawn i'w gilydd. A chyda'r bargyfreithwyr yn codi eilwaith sawl pwynt a fynegwyd eisoes, roedd ailadrodd yn beth cwbl anochel. Ail-adrodd neu beidio, roedd cyfiawnder yn y glorian, a rhaid, yn enw tegwch, oedd parchu pob cyfraniad rhag ofn bod ym mhlygion rhyw dystiolaeth fymryn bach o wybodaeth newydd sbon. Ac fe allai'r mymryn bach hwnnw roi gwedd arall ar y stori a bod yn ddigon i droi'r holl achos i gyfeiriad cwbl annisgwyl.

Y dydd Gwener hwn, tro'r cwnsler Vincent Lloyd Jones oedd hi, a bwriodd ef i'w waith o amddiffyn y cyhuddiedig trwy alw arno i ddod ymlaen.

Ar hyd yr wythnos lethol hon, bu Ronald Harries yn eistedd yn y doc gyda wardeniaid o garchar Abertawe'n ei warchod. Bu'n dilyn y gweithrediadau yn dra sylwgar, gan wrando'n astud o awr i awr. Ond ar dro, fe'i gwelwyd yn dylyfu gên, un ai o flinder neu o syrffed. Dro arall, byddai'n sgrifennu ar nodlyfr o'i flaen ac yn trosglwyddo'r nodiadau i'w gyfreithiwr, D. Myrddin Thomas, oedd ar ei bwys.

Roedd y carcharor wedi ymwisgo'n daclus mewn siwt o las tywyll, crys gwyn a thei coch, gyda chornel hances wen yn hongian dros ymyl poced uchaf ei siaced. Ar rai adegau, byddai'n eistedd i fyny a'i freichiau ymhleth.

Y bore hwn, cerddodd tua'r man-tystio yn eithaf hunanfeddiannol, ond yn lled welw'i wedd. Safai'n unionsyth gyda'i ddwylo o'r tu ôl i'w gefn, a phan gyflwynwyd y llw iddo'i adrodd, gwnaeth hynny mewn llais hynod eglur:

'Tyngaf gerbron Duw Hollalluog y bydd y dystiolaeth a roddaf y gwir, yr holl wir a'r gwir yn unig.'

Wrth ymroi i amddiffyn Ronald Harries, roedd yn anochel y byddai Vincent Lloyd Jones, yntau, yn ailadrodd llawer o'r hyn a glywyd yn ystod yr wythnos. Eto i gyd, daeth nifer o ffeithiau newydd i'r amlwg ganddo, a byddai'n bosibl felly newid cwrs yr achos yn llwyr.

Yn y rhan gyntaf o'i amddiffyniad, rhoes y bargyfreithiwr ddisgrifiad o gefndir Ronald Harries . . . ei fod yn briod gydag un plentyn . . . y byddai'n cysgu yn Ashwell, cartre'i briod . . . er y byddai'n gweithio rhyw gymaint i hwn ac arall, eto ar dir Cadno, cartre'i rieni, y llafuriai'n bennaf o ddigon, ac yno y câi ei brydau bwyd. Yn wir, yr oedd peth o'i lafur yno yn fusnes personol ganddo, a byddai'n gwasanaethu ar hyd yr ardaloedd gyda'r dyrnwr mawr oedd ar y fferm. Yn ogystal ag amaethu, roedd gan ei dad fusnes fel cigydd.

Roedd John Harries, Derlwyn, yn gefnder i'w dad . . . galwai Ronald ef yn 'Yncl Johnnie' a Phoebe Harries yn 'Anti' . . . cofiai hwy o'i febyd cynnar . . . byddai'r ddau yn ymweld yn fynych â fferm Cadno, ac yntau, Ronnie, yn galw'n aml yn Derlwyn gan helpu'i ewythr mewn sawl ffordd.

Eiddo'i dad oedd y Land Rover, ond Ronnie a fyddai'n gyrru hwnnw fynychaf. Byddai'n aml iawn yn prynu nwyddau i John Harries, fel bwyd ieir, teiar car, gan roi'r gost i lawr yn enw'i ewythr. O bryd i'w gilydd, roedd wedi rhoi benthyg swm o arian i'w ewythr, a byddai'n newid sieciau ar ei ran.

Yn y darn hwn o'i araith amddiffyn, bu Vincent Lloyd Jones

yn trafod mater dryslyd ryfeddol y siec £9 honno a dyfodd yn £909 o fewn ychydig ddyddiau. Er bod Ronald Harries wedi cael y siec £9 ar Hydref 7fed, erbyn Hydref 13eg gofynnodd John Harries amdani'n ôl am ei fod yn awyddus i setlo pob dyled oedd arno i Ronnie.

Ar Hydref 12fed, aeth i'r Derlwyn am fod ei ewythr eisiau iddo gymryd yr Austin A40 i fynd a dod tra byddent hwy ill dau ar wyliau . . . bwriadent ymadael ar ddydd Mercher Hydref 14eg . . . Yna, roedd John a Phoebe Harries wedi newid eu meddwl, a phenderfynu mynd ar wyliau ar Sadwrn, Hydref 17eg . . . Ar y ffordd i orsaf y rheilffordd yng Nghaerfyrddin, rhoddodd ei ewythr ddogfennau'r car iddo, papur insiwrans a phethau felly.

Ar ôl traethu fel yna, aeth y cwnsler ati wedyn i ganoli ar holl symudiadau Ronald Harries ar y dydd Gwener hwnnw, Hydref yr 16eg . . . aeth â phregethwr i Eglwys Gymun . . . ei dad i'r Beach Hotel . . . ei fam i dŷ ffrind ym Mhendein . . . galw i weld ei eneth fach yn cysgu yn ei chrud am 8.15 . . . cyrraedd Derlwyn tua 8.45 (nos yr ŵyl Ddiolch) . . . Mr Morris yno hefyd . . . aros hyd 9.15 cyn ymadael . . . gan sicrhau'i ewythr a'i fodryb y byddai'n mynd â hwy fore trannoeth at y trên . . .

Aeth rhagddo wedyn i ddisgrifio taith Ronnie tuag adref . . . yn helpu i dowio car George Wilson oedd mewn trafferth . . . yna'n codi'i dad, ac wedyn ei fam am 10.20, a'u cludo i'r Cadno. Yno, bu'n sgrifennu rhai cyfrifon ynglŷn â'i waith . . . cafodd gwpanaid o de cyn troi tua'i wely ym mwthyn Ashwell, lle bu gyda'i wraig hyd y bore.

Ar ôl hyn, manylodd Vincent Lloyd Jones ar symudiadau'r cyhuddiedig yn ystod y Sadwrn oedd yn dilyn . . . mynd i'r Derlwyn, ac yna gorsaf y trên yng Nghaerfyrddin.

Ond yna'n sydyn, torrodd Ronald Harries ar draws ei gwnsler gan ddweud fod ei ewythr wedi rhoi'r siec £909 honno iddo ar y ffordd i'r orsaf drên rhwng 10.25 a 10.30 y bore.

(Roedd y dull hwn gan yr amddiffyniad yn cynnig gwedd arall hollol i'r stori, ac i'r holl achos.)

Yn dilyn yr ymyrryd annisgwyl hwn gan Ronald Harries, caed

esboniad maith gan y cwnsler ar y modd y daethpwyd at y cyfanswm hwnnw o £909. (Yn awr, roedd y trafodion hynny mor gwbl newydd ar glust y brawdlys fel nad oedd fodd i neb yn y fan a'r lle fedru profi unpeth y naill ffordd na'r llall.) Sut bynnag, roedd y ffigurau a gynigiwyd fel a ganlyn: talu £130 am borthiant gwartheg a bwyd ieir ar ran John Harries; £100 i Gwili Farmers; teiar tractor, dros £40; teiar car, £4; dau deiar car arall, £10; am uno mewn partneriaeth i brynu byrnwr gwair, £400; buwch a llo, £40 . . . ac ymlaen felly nes cwrdd â'r swm terfynol oedd ar y siec.

Yna, aeth y cwnsler ati i ddilyn honiadau Ronald Harries iddo fod yng ngorsaf y trên yng Nghaerfyrddin, galw yn swyddfa'r cyfreithiwr cyn troi yn ôl am Bendein . . . rhoi petrol yn yr Austin A40 . . . yna gweld Brian Powell. Taerai Harries gyda phendantrwydd na welodd y bachgen cyn 12.50 y Sadwrn hwnnw.

Gwadodd hefyd iddo ddweud wrth Mrs James, Beach Hotel, Pendein, ei fod wedi dweud iddo dderbyn llythyr gan y cwpwl o Lundain. Mynnai mai'r hyn a ddywedodd wrthi oedd ei fod yn *disgwyl* llythyr oddi wrthynt. Ynglŷn â'r crybwylliad ganddo am Stockwell, daliai mai dweud a wnaeth ei fod yn *gwybod* am Stockwell yn dda am iddo aros yno rai troeon pan oedd ei gariad (ei wraig bellach) yn glaf yn Ysbyty Guy yn Llundain. Gwadodd hefyd iddo ddweud wrth Mrs James na ddôi neb o hyd i'r ddau ar dir Cadno. Taerodd ymhellach na fu ganddo erioed forthwyl yn ei feddiant. Pan ofynnwyd a wyddai ef fod y cyrff ynghlâdd yn naear Cadno, atebodd na wyddai ddim, ac na wyddai eto ychwaith, am nad oedd wedi eu gweld. O'i holi a oedd ganddo unrhyw syniad ymhle'r oedden nhw, atebodd yntau, 'Na, ddim o gwbwl.'

Ac fel yna y daeth i ben ymgais lew yr amddiffyniad ar ran Ronald Harries. Rhwng popeth, bu'r cwnsler dygn, Vincent Lloyd Jones, wrthi'n trin a thrafod y gwahanol faterion ar ei ran am ddwyawr a hanner helaeth.

O'r diwedd, daeth cyfle i'r cwnsler Edmund-Davies groesholi'r cyhuddiedig ar wahanol bynciau. Ond er mor alluog oedd y bargyfreithiwr hwnnw, roedd gan Ronald Harries ryw ddawn wlanog i fygu'r naill ffaith ar ôl y llall. Pan ofynnwyd iddo ddangos i'r rheithgor sut y pennwyd ar gyfanswm o £909 gyda'r siec y bu cymaint o drafod arni, dywedodd wrth ei holwr am ofyn i Mr Jones, y rheolwr banc, am fanylion felly.

Yna, newidiodd Mr Davies ei gwrs, a throi at fater chwyrn claddu gŵr a gwraig Derlwyn. Pan awgrymodd mai ef, Ronald Harries, a fu'n palu'r ddaear a bwrw'r ddau i'r twll, ei unig ateb iddo ar derfyn cyfres o gwestiynau llymion oedd, 'Rydych chi'n anghywir.'

Ni lwyddodd y cwnsler i ysgwyd dim ar y cyhuddiedig ynghylch yr honiad fod John a Phoebe Harries wedi mynd am wyliau i Lundain. Nac ychwaith pan fynegodd wrth Ronnie fod arno ef £300 i'r banc rhwng Medi a Hydref. Ei ateb hyderus i hynny oedd y gallai ef yn rhwydd gael benthyciad o £600 pes mynnai.

Wrth symud at fater mwy angerddol yn hanes Ronald Harries, roedd yn amlwg fod Edmund-Davies am droi yn ymosodol, a'i gael i gornel gyda'r dull hwnnw:

E.D.: Ar y noson Wener honno, fe aethoch chi i'r Derlwyn yn y Land Rover gyda'r bwriad o gael John Harries a'i wraig oddi yno.

R.H.: Fuodd fy modryb i erioed yn y Land Rover.

E.D.: Ar ôl cludo eich modryb a'ch ewythr draw i Cadno trwy ryw esgus neu'i gilydd, rwy'n cynnig eich bod chi wedi defnyddio'r morthwyl ar ben y ddau, a'u lladd.

R.H.: Naddo.

E.D.: A gyrru'r ddau yn y Land Rover tua'r twll oedd eisoes wedi'i baratoi?

R.H.: Naddo.

E.D.: Rwy'n cynnig eich bod wedi taflu'r cyrff hynny i'r twll.

R.H. Naddo. Rwy'n ddieuog o beth o'r fath, a'r unig berson all brofi hynny yw Duw uwchben.

E.D.: A oedd eich Land Rover chi ar ffordd Sanclêr am hanner nos ar yr 16eg o Hydref, fel y clywsoch dyst yn honni?

R.H.: Na, doedd e ddim.

Am i Ronnie sawl gwaith yng nghwrs y dydd osgoi nifer o gwestiynau trwy gynnig atebion niwlog, bu'n rhaid i'r Barnwr Havers ofyn iddo neilltuo'i atebion yn union ar gyfer y cwestiwn oedd ar fynd. Un tro, dywedodd y Barnwr wrtho: 'Rydych chi'n gwbl abl i wrando ar y cwestiwn, a'i ddeall.'

Ar un achlysur, gwadodd Ronald Harries iddo ysgrifennu'r geiriau *This statement is the truth* ar gyfer yr heddlu. Yr adeg honno, gofynnodd Edmund-Davies iddo ysgrifennu hynny yn y fan a'r lle ar ddarn o bapur ar yr astell o'i flaen. Gwnaeth yntau felly, gan sillafu'r gair statement fel *statimint*. Yn y man, addefodd mai'r unig beth y gallai ef ei ysgrifennu heb gymorth oedd ei lofnod ei hunan.

Ar hynny, dyma'r Barnwr Havers yn ymyrryd â'r holl drafod, a datgan fod y cyhuddiedig wedi sefyll yn ddigon hir ar ei lwyfan-tystio, a'i bod yn bryd bellach gadael y cyfan hyd fore Llun.

Rhwng popeth, bu Ronald Harries yn sefyll o flaen ei well y diwrnod hwnnw am yn agos i bum awr a hanner.

15

Dydd Llun, Mawrth 15fed 1954, oedd chweched dydd y brawdlys. Wedi agor y gweithgareddau, galwyd ar Ronald Harries i wynebu'r cwnsler Edmund-Davies, ac aeth y bargyfreithiwr yn syth i'r afael â'r gwaith yr oedd wedi'i adael ar ei ganol ddiwedd y pnawn Gwener cynt.

Ei fwriad cyntaf un oedd dryllio'r honiad gan Ronald Harries mai ef oedd yn prynu porthiant gwartheg a ieir i'w ewythr, ond mai'r ffaith yn hytrach oedd fod John Harries yn delio'n llwyr mewn materion felly gyda'r masnachwr amaethyddol, S. J. Phillips o Grymych (brawd-yng-nghyfraith Phoebe). Ni fynnai Ronald Harries gytuno â'r awgrym hwnnw o gwbl.

E.D.: A fyddai S. J. Phillips yn dweud celwydd bwriadol?

R.H.: Rwy'n awgrymu bod Lawrence Davies (brawd-yng-nghyfraith Phoebe), Phillips o Grymych, a Harries, Llundain (brawd John Harries) yn gwybod llawer mwy am yr achos hwn. Y rheini sy'n elwa heddiw oherwydd y peth ofnadwy yma yr wyf i'n ei wynebu yn awr.

E.D.: Beth ydych chi'n ei olygu wrth ddweud mai'r 'rheini sy'n elwa heddiw'?

R.H.: Yn syth ar ôl canfod y cyrff, maen nhw'n mynd ati i werthu'r fferm. Fe gafodd y cyrff eu claddu ar dir ein ffarm ni er mwyn i fi gymryd y bai.

E.D.: Oes yma awgrym mai Simon Phillips neu Lawrence Davies a osododd y cyrff o'r tu mewn i fferm Cadno?

R.H.: Dwyf i ddim yn awgrymu hynny. Mi es i i Gaerfyrddin gyda f'ewythr a'm modryb, ac fe wyddai Lawrence Davies hynny'n iawn. Roedd e'n fy ngwylio i yn ei gar drwy'r bore hwnnw.

E.D.: Onid y bobl hyn a ddywedodd wrth yr heddlu bod Mr a Mrs Harries ar goll?

R.H.: Roedden nhw'n gweithio gyda'r heddlu er mwyn eu cuddio'u hunain fel y dywedais i o'r blaen wrth yr Arolygydd.

Fel yr âi'r holi a'r ateb rhagddo ar y pwynt hwn, roedd y

cyhuddiedig wrthi'n pardduo rhai cymeriadau'n hollol wyneb-galed, nes yn y diwedd i Edmund-Davies ddweud wrtho, 'Rydych chi'n barod i ddweud y pethau duaf am unrhyw un.' Atebodd Harries fod y tystion oll yn ei erbyn yn yr achos hwn, ac nad oedd yr un ohonyn nhw o gymeriad da. Aeth cyn belled ag awgrymu fod ei ewythr wedi peri iddo ef gyflawni pethau gwrthgefn, ond ei fod, serch hynny, yn ei barchu. Erbyn hyn, roedd ei atebion mor wasgarog nes i'r cwnsler ddweud, 'Rydych chi'n nyddu'r pethau yma trwy'i gilydd wrth fynd ymlaen, onid ydych chi?'

Pan gododd Edmund-Davies fater y gôt *gaberdine,* roedd ei atebion yn un cwlwm dryslyd o sylwadau . . . ei fod wedi'i chanfod ar sedd y Land Rover . . . nad oedd wedi'i chael gan ei ewythr . . . ei fod wedi'i rhoi i Brian Powell . . . ac i Mrs Powell wneud tro gwael ag ef wrth drosglwyddo'r gôt i'r heddlu.

Gyda chwestiwn y morthwyl, taerodd nad oedd wedi'i weld erioed o'r blaen, ac mai brawd-yng-nghyfraith Lawrence Davies oedd wedi dod â'r morthwyl yn ei boced, a'i adael yn y deiliach ar dir Cadno.

Bryd hynny, mynnodd y Barnwr Havers dorri ar draws y croesholi, a gofyn,

'Pwy yw'r brawd-yng-nghyfraith hwn?'

'Laurie Evans, Dinbych-y-pysgod,' atebodd Ronald Harries.

'Ydych chi'n dweud mai ef a'i gosododd yno?'

'Ydw.'

Roedd y stori'n mynd ar chwâl i bob cyfeiriad, a'r cyhuddiedig yn awgrymu erbyn hyn i Laurie Evans dwyllo Islwyn Howells a'r heddlu trwy adael y morthwyl yn y dail er mwyn i'r brawd o Lundain ddod allan o'r helynt yn groeniach.

'Rhwng pawb, felly,' rhesymodd y cwnsler, 'mae yna bedwar ohonyn nhw sy'n gwybod mwy am y llofruddiaethau nag a ddywedwyd wrth y rheithgor?'

'Oes, syr,' cytunodd Ronald Harries.

Rhwng honiadau adeiniog y cyhuddiedig, ynghyd â'r modd yr

oedd yn gwadu popeth yn ôl ei ffansi, tynnodd Edmund-Davies y gŵys i ben ei thalar fel a ganlyn:

E.D.: Fuasech chi'n eich disgrifio'ch hunan fel celwyddgi?

R.H.: Na fuaswn. Y cwbwl rwyf i'n ei ddweud yw'r gwir.

E.D.: Ronald Harries, rwy'n siŵr y gallwch chi'ch cicio'ch hunan oblegid un peth yn yr achos hwn.

R.H.: Wnes i ddim byd o le yn yr achos hwn.

E.D.: Fe wnaethoch chi anghofio'r darn cig hwnnw oedd heb ei goginio yn y popty.

R.H.: Rwy'n awgrymu wrthych chi, syr, nad *oedd* yna ddim darn o gig yn y stôf.

E.D.: Harries. Fe fuoch chi'n chwalu trwy ffermdy'r Derlwyn, onid do?

R.H.: Naddo.

E.D.: Fe wnaethoch chi anghofio'r cig.

R.H.: Naddo. Wnes i ddim chwalu trwy'r tŷ, nac anghofio am y cig. Do'n i ddim eisiau dim byd o gwbwl. Fe weithiais i'n onest dros f'ewythr a'm modryb.

E.D.: Ronald Harries, fe fuoch chi'n chwalu trwy eu tŷ nhw ar ôl i chi yn gyntaf ladd y ddau.

R.H.: Naddo, syr. R'ych chi'n hollol anghywir.

Roedd y tyndra rhwng yr erlynydd a'r cyhuddiedig i'w deimlo fel ias yn awyr y brawdlys. Yn sydyn, roedd y cwnsler wedi peidio â siarad gan adael i'r carcharor sefyll yn anesmwyth o'i flaen yn dyfalu beth a ddywedai nesaf. O'i hir brofiad, gadawodd Edmund-Davies i'r tawelwch wneud ei waith, fel petai. Yna, fel actor llwyfan yn mesur hyd ei saib, torrodd ei lais ar y distawrwydd dieithr, ac meddai, 'A chi, ac nid neb arall, oedd hwnnw a roddodd eu cyrff nhw yng nghae Cadno.'

'Nage, syr,' oedd ymateb eiddil ei wrthwynebydd.

Ni chymerodd y cwnsler sylw o hynny. Ac felly, ar ôl dwyawr helaeth o groesholi, eisteddodd i lawr yn urddasol yn ei gadair.

16

Yn ôl y drefn, y cam nesaf fyddai rhoi cyfle i Vincent Lloyd Jones amddiffyn ei gwsmer trwy gyfres o groesholi a fyddai'n awgrymu pwyntiau gwan yr erlyniad. Er bod gan Mr Lloyd Jones, yntau, brofiad maith a galluoedd diamheuol mewn llysoedd, mae'n bur bosibl iddo sylweddoli bod Ronald Harries wedi cleisio'i achos yn lled ddrwg, ac nad oedd diben ei ddinoethi ymhellach.

Wedi edrych i gyfeiriad yr amddiffyniad, a derbyn nad oedd neb yno am arholi ychwaneg, nac ychwaith am alw ar dyst, cododd Herbert Edmund-Davies o'i gadair, gosod ei nodiadau mewn trefn, ac yna bwrw i'w anerchiad terfynol er budd y rheithgor gan ddweud,

'Gallwch chwi, aelodau'r rheithgor, feddwl ei fod yn beth hynod am na chawsoch gymaint ag un tyst ar ran yr amddiffyniad a fedrai ddweud wrthych chwi—'Roeddem ni yno. Fe glywsom John a Phoebe Harries yn trafod cynllun eu gwyliau. Fe wyddom ni hyn ac arall, gwybod fod ganddyn nhw wyliau mewn golwg, a'u bod wedi dweud wrthym am beidio â dod ag ychwaneg o fara a chig, ac felly ymlaen . . .'

'Mae'n rhywbeth y dylech ei ystyried yn ddwys, aelodau'r rheithgor—a chymryd bod y cwpwl wedi mynd am wyliau, sut y digwyddodd pethau na wnaethon nhw ddim anfon neges at eu "*ffefryn*"?'

'Mae'n rhesymol ystyried mai'r unig berson a allai gafnio twll yn y cae *kale* hwn ar fferm Cadno, heb dynnu sylw nac achosi amheuaeth, yw'r cyhuddiedig, Ronald Harries. Gofynnaf i chwi ystyried hyn, aelodau'r rheithgor.

'Rwy'n eich gwahodd hefyd i ystyried tybed a aeth y cyhuddiedig allan drachefn ar ôl mynd i'w wely'n gyntaf oll ar y nos Wener dynghedol honno.

'A throi at amgylchiadau bore Sadwrn, Hydref 17eg, gwahoddaf chwi i gofio'n arbennig dystiolaeth un y gellid ei alw'n golofn ymysg tystion yr achos hwn. Hwnnw yw Rowland James, tyst sydd â'i onestrwydd yn dryloyw. Aeth ef i'r Derlwyn i ffureta am 8.30 y bore, a chael y lle wedi'i adael, heb neb yn ei ateb o unman.'

Aeth y cwnsler rhagddo i sôn am brydlondeb boreol gŵr a gwraig Derlwyn gyda'r godro. Wedi sefydlu hynny, ymresymodd ymhellach: os oeddent ar gychwyn am wyliau, oni fyddent ar eu traed er mwyn gorffen popeth mewn da bryd, ac yn sefyll ar riniog y drws yn disgwyl eu "ffefryn" i'w cludo i Gaerfyrddin ar y trên?

'Foneddigesau a boneddigion y rheithgor,' meddai Edmund-Davies, 'ni fydd un amheuaeth gennych nad oedd ar y pryd hwnnw undyn byw yn y Derlwyn . . . *doedd* yna ddim taith i John a Phoebe Harries i Gaerfyrddin y bore hwnnw yng nghwmni'r cyhuddiedig. Ni *allai* hynny ddim digwydd am eu bod eisoes yn gyrff. Yn gyrff, o achos erfyn a welsoch o'ch blaenau, y morthwyl y cafodd ef ei fenthyg gan Gwyn Lewis.'

Eglurodd y cwnsler wedyn i'r morthwyl hwnnw gael ei ganfod 'trwy ddamwain ddinistriol' ac na ddychmygodd Ronald Harries y dôi neb ar ei draws mewn trwch o ddail eiddew.

'Wythnos yn ôl,' meddai 'dywedais wrthych mai un o'r darnau pwysicaf fel tystiolaeth yn yr achos hwn oedd y siec honno. Mae honno'n bwysig am ei bod yn awgrymu fod pethau wedi cael eu hystyried ymlaen llaw. Mewn geiriau eraill, mae'n dangos yn eglur fod y drygau hyn wedi'u cynllunio'n fanwl, ac y mae hynny'n aruthrol o bwysig i gwestiwn o gymhelliad, neu'r cwestiwn pam y cyflawnodd y cyhuddiedig y troseddau hyn.

'Bydd yn rhaid i chwi farnu cymeriad y cyhuddiedig yn ôl yr hyn a welsoch, yr hyn a glywsoch, a'r ffordd y mae ef wedi rhoi ei dystiolaeth yn gyffredinol.

'Pan mae ef yn dweud mor fynych wrthym—"Bydd y gwir yn sefyll, Duw yw fy Marnwr"—y peth olaf a ddymuna Ronald Harries yw i'r gwir gael ei ddwyn adref atoch chwi, ei farnwyr daearol.

'Yn ôl fy marn wylaidd i, fe ddygwyd y gwir tuag adref yn yr achos hwn i'r dyn acw,' (gan bwyntio'n gyhuddgar at Ronald

Harries yn y doc), 'a'r dyn acw'n unig, weithredu fel llofrudd y ddau berson anffodus hyn.' Yna, daeth y bargyfreithiwr at ei apêl derfynol:

'Gan hynny, foneddigesau a boneddigion y rheithgor, rwy'n gofyn i chwi ddweud yn ddibetrus ei bod yn rhaid arnoch ddod i'r casgliad o "euog" yn yr achos hwn.'

Bellach, yr oedd ymdrechion Herbert Edmund-Davies fel Cwnsler y Frenhines, ar ran y Goron, wedi dod i ben. Ni allai mwyach ond eistedd yn ôl yn ei gadair, a gwrando ar ymgais olaf y Cwnsler Vincent Lloyd Jones yn dadlau ym mhlaid yr amddiffyniad.

Agorodd Mr Jones ei anerchiad trwy gyfarch y rheithgor, a dyfynnu geiriau cyn-Farnwr enwog: 'Nid oes gan y Goron ddiddordeb mewn mynnu cael dedfryd o euogrwydd. Ei hunig ddiddordeb yw gofalu bod y person iawn yn cael ei ddedfrydu, bod y gwir yn dod i'r golau, a bod cyfiawnder wedi'i weinyddu.' Gan gydnabod fod pob cymdeithas wâr yn ystyried llofruddiaeth fel trosedd erchyll, eglurodd y cwnsler fod un peth y gellid ei ystyried yn waeth trosedd na hynny hyd yn oed, sef cyhoeddi bod dyn yn euog o lofruddiaeth, a hwnnw mewn gwirionedd yn ddieuog.

Er iddo gydnabod fod yr achos hwn ym mrawdlys Caerfyrddin yn drwm gan emosiwn, erfyniodd ar y rheithgor i wacáu eu meddyliau o bob mân-siarad, hefyd y trafodaethau (neu'r awgrymiadau) a glywsent cyn agor y Cwrt Mawr o gwbl.

'Byddwch yn dod i'r casgliad,' meddai wrth y rheithgor, 'fod y dystiolaeth yn pwyntio yn eglur, yn amlwg ac yn bendant i'r cyfeiriad a fydd yn gollwng y cyhuddiedig yn rhydd.'

Sylwodd i'r erlyniad alw 61 o dystion er mwyn profi fod y dyn hwn, a'r dyn hwn yn unig, wedi cyflawni'r llofruddiaethau. Ond dadleuai'r cwnsler fod y cyhuddiedig wedi glynu'n angerddol wrth yr un ffeithiau o'r cychwyn hyd y diwedd eithaf.

I ategu hynny oll, dyfynnodd Vincent Lloyd Jones restr hirfaith o'r ffeithiau a glywyd sawl tro yng nghwrs yr wythnos oedd wedi mynd heibio: . . . Ronald Harries a'i Land Rover yn y

Derlwyn ar Hydref 16eg, nos yr ŵyl Ddiolchgarwch . . . ymadael tua 9.15 . . . towio car George Wilson . . . codi'i fam a'i dad ym Mhendein. Yna'r Sadwrn, a'r honiad iddo gludo'i berthnasau i Gaerfyrddin . . . gwadu'n bendant fod Brian Powell gydag ef yn ystod y bore . . .

Esboniodd y bargyfreithiwr fod yr erlyniad yn cynnig dau ddewis posibl fel amseroedd y llofruddio. Y cyntaf, rhwng 8.45 a 10.15 ar Hydref 16eg. Yna, i'r erlyniad alw tystion yn dweud iddyn nhw weld y Land Rover yn ymyl Sanclêr am 11.45 yr un noson.

Awgrymai'r cwnsler hefyd fod dryswch gwaelodol a pheryglus yn nhystiolaeth y llanc, Brian Powell. Am y bu'n rhaid iddo dynnu'n ôl ddau osodiad a wnaeth i'r heddlu, pwysodd y cyfreithiwr ar i'r rheithgor ystyried yn daer a ellid dibynnu arno.

'Fe glywsoch fy nghyfaill dysgedig yn awgrymu i chwi fod y llofruddiaeth hon wedi'i chynllunio rhagllaw,' meddai'r cwnsler Lloyd Jones wrth y rheithgor. 'Nid oes neb wedi dod ymlaen a dweud iddo weld ffynnon ar fferm Cadno, na phwll, nac ôl cloddio . . . a rhaid i mi ddweud i rai tystion fynegi eu tystiolaeth gyda diofalwch rhyfedd, ac amhendantrwydd hynod . . .

'Mae'r erlyniad yn damcanu fod Harries rhwng 9.15 a 10.20 y noson honno, nid yn unig wedi llwyddo i ddenu'r ddau berson hyn gydag ef i fferm Cadno, ond yn ogystal iddo gael amser i fwrw'r ddau yn farw, eu claddu, ac yna gyrru'n syth i lawr i godi'i fam a'i dad ym Mhendein. Rwy'n aros i ofyn i chwi, a yw'n ddarlun i chwi o'r hyn y *gellid* ei gyflawni, heb sôn am a *gafodd* ei gyflawni? Mae'n ddarlun hollol anghredadwy, o fewn hualau'r amser yna, iddo fod wedi gwneud yr hyn yr honnir iddo'i wneud.'

Trodd y cwnsler wedyn at fater y bedd yn y cae. Os oedd y bedd wedi'i dorri'n barod fel yr awgrymai'r erlyniad, ni fedrwyd galw ar neb i ddweud fod arwydd cloddio yn y cae hwnnw, a gellid rhyfeddu na fyddai rhywun wedi sylwi ar beth o'r fath. Yna, os oedd y bedd wedi'i dorri rhagllaw, beth oedd diben yr Arolygydd Fox yn arbrofi gyda phalu o'r fath onid i ddangos y gallasai'r diffynnydd, o fewn yr amser honedig, fod wedi palu allan fedd o faintioli cyffelyb?

Ynglŷn â bore Sadwrn, Hydref 17eg, dadleuai'r cwnsler na ellid cysoni tystiolaeth Brian Powell ag un Mr Charles, y cyfreithiwr o Gaerfyrddin, am y byddai'n amhosibl i'r cyhuddiedig fod mewn dau le ar unwaith.

Aeth y cwnsler yn ôl eto at fater y 'gladdfa', gan sôn i'r Rhingyll Phillips, a ganfu'r cyrff, ddweud mai bedd wedi'i dorri'n ddiweddar ydoedd. Os mynnid, fel y gwnâi'r erlyniad, mai'r cyhuddiedig oedd yn gyfrifol am y cloddio hwn, a fyddai mewn sobrwydd yn *dewis* y fath lecyn? Onid oedd yn lle cwbl hwylus i gyrraedd ato? Mae'n wir ei fod bellter o'r ffermdy, ond eto roedd yn agos i'r ffordd fawr.

'Os ydych yn dechrau credu stori'r gŵr ifanc hwn,' meddai'r cwnsler gan wasgu'i neges ar y rheithgor, 'yna, mae gennym hawl i ddweud mai rhywun *arall* a gyflawnodd hyn. A byddai hynny'n amgenach rheswm na dim arall dros i'r cyrff gael eu darganfod yn y lle arbennig hwnnw. Rwy'n gofyn i chwi ddweud na ddefnyddiodd y dyn hwn y rhan yma o'r cae i'r fath ddiben. Ac na thrawodd y dyn ifanc hwn erioed y ddau berson hyn i'r llawr.'

Wrth drafod pwnc y siec am £909, roedd Ronald Harries, er mwyn helpu'i ewythr i brynu porthiant anifeiliaid, wedi gwario arian ei dad. A'r peth cyntaf a wnaeth pan gafodd y siec hon oedd rhoi £509 o'r naill du yng nghyfrif ei dad. Prin bod ymddygiad felly, dadleuai'r cwnsler, yn pwyntio at ddyn ifanc a fwriadai afradloni arian o gwmpas y wlad. Nid oedd unrhyw dystiolaeth ychwaith y gwyddai, wedi marwolaeth John Harries, y gallai ef wario'r cyfoeth.

'Er mwyn i chwi gredu bod y dyn ifanc hwn wedi defnyddio'r morthwyl yma,' meddai Vincent Lloyd Jones, 'rhaid i chwi dderbyn ei fod mor benderfynol o wneud rhywbeth i'r bobl hyn y noson honno nes iddo fynd cyn belled â dweud wrth Gwyn Lewis ei fod yr union erfyn ar gyfer y job.

'Ynghylch tystiolaeth ffotograffydd y *Daily Mirror,* rwy'n

cynnig eich bod yn anwybyddu'r cyfan oll, a derbyn geiriau'r cyhuddiedig pan ddywed, "Ni chefais sgwrs gydag ef o gwbl".'

Cyfeiriodd wedyn nad oedd y Ditectif Capstick wedi penderfynu y byddai'n cyhuddo Harries pan oedd yn mynd ag ef i Orsaf yr Heddlu yn Sanclêr.

Wrth gloi araith ei amddiffyniad, cyhoeddodd Vincent Lloyd Jones ei ble yn derfynol gyda'r brawddegau a ganlyn:

'Mae'r dyn ifanc hwn wedi dadlau dros ei ddiniweidrwydd o gychwyn cyntaf unrhyw gyhuddiad yn ei erbyn. Ni allai unrhyw ddyn haeru'i ddiniweidrwydd yn fwy pendant ac angerddol nag a wnaeth ef. Daliodd i wneud felly'n gyson. Beth a wnewch chwi ohono ef, aelodau'r rheithgor, ac o'i ddatganiad yn pledio'i ddiniweidrwydd pan ddywedodd, "Rwyf i yn ddieuog, a bydd y gwir yn sefyll bob amser fel mai Duw uwchben yw fy Marnwr"?

'Ai ymgolli yr oedd ef yng ngwag ymffrost cablwr? Ai ynteu dadlennu yr oedd wrthdystiad pendant o ddiniweidrwydd dyn a wyddai nad oedd yn euog?

'Gofynnaf i chwi ddweud nad yw'r dyn hwn yn euog o'r llofruddiaeth y cyhuddir ef o'i chyflawni.'

Wedi dadlau'n egnïol felly o blaid y diffynnydd, eisteddodd y cwnsler i lawr yn ei gadair, a hynny oedd diwedd y brawdlys am y pnawn hwnnw.

17

Erbyn yr 16eg o fis Mawrth, roedd y Cwrt Mawr yng Nghaerfyrddin yn ymgynnull ar gyfer ei seithfed sesiwn. Beth bynnag a fu'r cyffroadau amrywiol yng nghwrs yr wythnos a basiodd, yr oedd i'r dydd Mawrth hwnnw ei iasau arbennig ei hunan. Roedd hwn yn mynd i fod yn wahanol i bob un o'r dyddiau eraill. Dyma'r diwrnod y byddai'r rheithgor yn gorfod dedfrydu. Hwn oedd dydd y farn.

Agorwyd y sesiwn olaf am 10.30 y bore. Daeth y Barnwr Havers i'r golwg yn ei berwig gwyn a'i laeswisg ysgarlad. Cerddodd yn bwyllog i'r brawdlys, ac wedi cymryd ei le yn ei gadair ddethol, eisteddodd yr holl gynulliad mewn distawrwydd disgwylgar.

Roedd gan y Barnwr dasg egr a maith o'i flaen. Gwyddai y byddai'n rhaid iddo gribo trwy bopeth a grybwyllwyd yn ystod y saith diwrnod o dystio ac o ddadlau. Byddai'n gorfod ailgyfeirio at swm enfawr o'r hyn a glywyd eisoes.

Ar ôl wythnos gymysg o wrando ar filoedd o frawddegau, onid oedd yn naturiol i aelodau'r rheithgor fod wedi anghofio llawer o'r hyn a ddywedwyd, a thueddu i gymysgu a drysu rhwng popeth? Gan hynny, ar y bore olaf hwn, byddai'r Barnwr yn debygol a ailadrodd y stori wrth y rheithgor gan bwysleisio'r prif ffeithiau y byddai a wnelo tegwch â hwy. Byddai hefyd yn ceisio arwain aelodau'r rheithgor ar hyd llwybrau cyfiawnder, yn eu cynghori beth i gymryd sylw ohono, ac i anwybyddu rhai pethau a allai wyro oddi wrth y gwirionedd. (O edrych ar y cyfan mewn gwaed oer, onid oes rhywbeth brawychus yn y sefyllfa honno pan yw dyn yn cloriannu cyd-ddyn, yn enwedig felly gydag einioes yn y fantol?)

'Ym myd y gyfraith,' meddai'r Barnwr Havers, 'adnabyddir achos o'r math hwn fel un o dystiolaeth amgylchiadol (*circumstantial evidence*). Fodd bynnag, fe'i cydnabyddir fel un dderbyniol ar fater o'r fath.

'Yng nghwrs ei dystiolaeth, mae Ronald Harries wedi haeru bod nifer helaeth o'r tystion y galwodd yr erlyniad arnyn nhw yn gelwyddgwn, ac yn bersonau o gymeriad drwg. Ar bob un cyfrif, caniatewch iddo hawlio felly. Yn ôl ei gwnsler, gall ef fod wedi dod i gredu felly o achos y pwysau a fu arno tra bu'n aros am ei brawf. Bydded felly, os tybiwch mai dyna'r esboniad.

'Gyda golwg ar eraill, gwnaeth honiadau sy'n waeth na hynny, hyd yn oed. Dywedodd fod Lawrence Phillips a Harries, Llundain, yn gwybod mwy am y llofruddiaeth nag a ddywedasant wrth y llys. Gwnaeth haeriadau difrifol iawn yn erbyn Laurie Evans o Ddinbych-y-pysgod, iddo fod yn gyfrifol am osod y morthwyl yn y man y'i canfuwyd.

'Aelodau'r rheithgor, os yw person cyhuddiedig yn bwriadu ymosod ar gymeriad unrhyw un o'r tystion, y dull teg iddo wneud hynny yw darparu pob gwybodaeth i'w gyfreithiwr a'i gwnsler. Yn dilyn hynny, dyletswydd ddiamheuol y cwnsler yw cyflwyno gwybodaeth felly trwy groesholi'r tystion, fel y bo'r tyst yn cael cyfle i roi'i atebion . . . Am na chaed croesholi gan Mr Lloyd Jones, mae'n amlwg na chyflwynwyd iddo wybodaeth o'r fath.

'Dim ond un cwestiwn, aelodau'r rheithgor, y bydd yn rhaid i chwi benderfynu arno: a brofodd yr erlyniad mai Harries a gyflawnodd y llofruddiaeth?

'Mae'r erlyniad yn mynnu, ac yn eich gwahodd chwi i ddweud yn ôl y dystiolaeth, iddynt sefydlu bod John a Phoebe Harries wedi diflannu rhwng 8.50 a 10.20 ar y nos Wener honno, neu o leiaf cyn 8 o'r gloch fore Sadwrn.

'Mae'r amddiffyniad yn eich gwahodd i ddweud, ac yn awgrymu, bod y dystiolaeth yn sefydlu eu bod yn fyw ar y bore Sadwrn hwnnw; iddyn nhw gael eu gweld olaf ar orsaf y rheilffordd, Caerfyrddin, ychydig cyn hanner dydd, ac mai o hynny ymlaen y diflannodd y ddau.

'Un peth pendant yw i'r heddlu, a oedd yn palu ar Dachwedd 16eg yng nghae uchaf fferm Cadno, ddod o hyd i gyrff John a Phoebe Harries. Roedden nhw wedi'u claddu mewn twll, eu dillad amdanyn nhw, gyda chorff y ddynes ar ben y gŵr . . .'

Manylodd y Barnwr wedyn am yr hyn a ganfu'r patholegydd,

Dr Freezer: i'r ddau ddioddef ergydion gydag erfyn llyfn, pengrwn, ac iddyn nhw gael eu claddu ar unwaith, a hynny yn ôl pob tebygrwydd gan y sawl a'u llofruddiodd. Tybiai Dr Freezer y gallasai'r cyfan fod wedi digwydd ar nos yr 16eg o Hydref.

'Yn awr,' meddai'r Barnwr, 'ceisiaf egluro i chwi beth yw ystyr tystiolaeth amgylchiadol. Aelodau'r rheithgor, pan fyddwch yn cael corff o dystiolaeth yn dod o enau tystion annibynnol, gyda phob un yn pwyntio i'r un cyfeiriad, ac yn arwain at yr un casgliad, a'ch bod yn gweld yn amlwg na allai'r tystion hynny fod wedi trefnu ymysg ei gilydd i adrodd stori gelwyddog, yna cewch eich denu'n ddiwrthdro at benderfyniad nad oes ynddo le i unrhyw fath o amheuaeth.

'Yr achos ar ran y Goron yw bod y trosedd hwn wedi'i ragfwriadu a'i gynllunio gan y cyhuddiedig, a'i fod, yn ôl awgrym y Goron, wedi'i drefnu rywbryd cyn Hydref yr 16eg. Ni bu'n rheidrwydd erioed ar y Goron dros roi tystiolaeth am y *cymhelliad* y tu ôl i'r cyfan. Ond yn yr achos hwn, mae'r Goron yn awgrymu *fod* yna gymhelliad amlwg. Trachwant oedd hwnnw.

'Awgryma'r erlyniad i'r dyn hwn geisio meddiannu modur John Harries, ei fuches odro werthfawr ar y fferm, ei beiriannau, ynghyd â swm sylweddol o arian o'i fanc.'

Dangosodd y Barnwr ymhellach fel yr oedd y Goron yn dweud fod gan y cyhuddiedig ddigon o amser i gyflawni'r trosedd . . . iddo amcanu gwneud hynny ar Hydref 16eg, a'i arfogi'i hunan ar gyfer y weithred gydag erfyn, sef y morthwyl . . . fod ganddo Land Rover i ddenu'i ewythr a'i fodryb ymaith o'r Derlwyn . . . iddo ddod â'r cyrff o fewn saith llath i lecyn eu claddfa . . .

Dyfynnodd y Barnwr fel yr oedd y Goron wedi dangos bod y dystiolaeth yn gwbl anghyson â'r dybiaeth fod y ddau yn mynd i ffwrdd am wyliau . . . roedd yn eglur fod ffrindiau a chymdogion wedi trefnu i weld John Harries drannoeth, neu yn ystod y dyddiau dilynol. 'Ni alwyd un tyst ar ran y Goron a fedrodd ddweud i'r naill na'r llall o'r ddau berson hyn sôn wrthyn nhw eu bod yn mynd i ffwrdd am wyliau,' haerodd y Barnwr.

Aeth rhagddo wedyn i ddangos, fel y mynnai'r Goron, nad

oedd ymddygiad Harries ar fore Sadwrn, Hydref 17eg, yn gyson ag un a adawyd yng ngofal y fferm tra byddai ei ewythr i ffwrdd am bythefnos neu dair wythnos . . . cyfeiriodd at gludo'r gwartheg o'r Derlwyn i'r Cadno . . . gofynnodd hefyd i'r rheithgor gadw mewn cof y siec a newidiwyd o £9 i £909 . . .

Ar ôl crybwyll ochr yr amddiffyniad, a bod Harries wedi tyngu nad oedd a wnelo ef ddim â llofruddiaeth y ddau, soniodd y Barnwr ei fod wedi gwadu hefyd iddo weld y morthwyl erioed yn ei fywyd . . . ei fod wedi gadael y fferm am 9.15 y nos ar Hydref 16eg . . . iddo fynd adref, ac nad aeth yn ôl o gwbl i'r Derlwyn y noson honno . . . ac mai'r tro olaf iddo weld y ddau oedd ar fore Sadwrn, Hydref 17eg, yng ngorsaf Caerfyrddin.

'Aelodau'r rheithgor,' ychwanegodd y Barnwr, 'dymunaf ofyn i chwi ddwyn ar gof dystiolaeth Mr Wilson, Fferm Middlepool, Pendein, a dystiodd wrthych i'r cyhuddiedig ddweud wrtho ar un achlysur ei fod yn tyllu am ffynnon ar fferm Cadno am ddŵr, a'i fod wedi cyrraedd at ddyfnder o dair i bedair troedfedd.

'Ar y llaw arall, dywedodd Mr Clifford Thomas iddo fod ar fferm Cadno rhwng Medi 12fed a'r 30ain yn trapio cwningod. Ni welodd ef un arwydd o gloddio, nac un twll ar y fferm. Dywedodd hefyd iddo yrru Land Rover ar y fferm yn ystod cyfnod y trapio . . .'

Manylodd y Barnwr wedyn ar y dystiolaeth a roed gan y Goron fod yr olion a gaed yn y pridd ger y bedd yn cyfateb yn union i olion pedwar teiar Land Rover y cuhuddiedig. Ond fel ustus yn parchu rhesymeg noeth, roedd yn rhaid iddo nodi y gallai fod yn y mater hwn bosibilrwydd arall, ac meddai'r Barnwr wrth y rheithgor,

'Os oedd Mr Clifford Thomas yn iawn, a'ch bod yn derbyn ei dystiolaeth, gellwch ei chael yn anodd penderfynu pa gerbyd a adawodd y traciau hynny ar ei ôl—p'run ai ei Land Rover ef, ai ynteu'r Land Rover a yrrid gan y cyhuddiedig?

Yna, gan newid ei faes, cynghorodd y Barnwr Havers y rheithgor i roi pwys neilltuol ar y dystiolaeth ynglŷn â'r morthwyl.

'Clywsoch un yn tystio,' meddai, 'fel y gofynnodd y

cyhuddiedig iddo am fenthyg y morthwyl ar Hydref 16eg, dyddiad hanfodol bwysig yn yr amgylchiadau hyn. Tystiodd Herbert Lewis i'r diffynnydd ddweud, 'Mae e jest y peth ar gyfer y jobyn', a bod ganddo waith trwm ar ei gyfer.

'Fe glywsoch hefyd Mr Laurie Evans yn dweud wrth y llys iddo, trwy ddamwain noeth, roi'i droed ar y morthwyl ymysg dail ar dwmpath o eiddew ar fferm Cadno.

'Byddwch yn cofio hefyd, pan oedd y cyhuddiedig ar y llwyfan-tystio, iddo wneud haeriad difrifol yn erbyn Mr Evans trwy ddweud fod Mr Evans wedi dod â'r morthwyl gydag ef i fferm Cadno, a'i osod yn y twmpath eiddew.

'Mae yn eithafol o anffodus, os oedd yn awgrymu'r fath beth, na fuasai'r cyhuddiedig wedi mynegi hynny wrth ei gyfreithwyr, fel y gallai Mr Lloyd Jones gael cyfle i osod cwestiynau i Mr Evans ynglŷn â'r mater hwnnw.'

Aeth y Barnwr ymlaen i nodi canfyddiad y patholegydd, Dr Freezer: fod pen llyfn y morthwyl, oedd tua modfedd a hanner ar draws, yn cyfateb i'r anafiadau crynion a welwyd ar y ddau benglog.

Anogwyd y rheithgor hefyd i benderfynu ymhle'r oedd y cyhuddiedig rhwng 8.45 nos Wener Hydref 16eg a 10.15 i 10.20 pan aeth i Bendein i godi'i rieni. Nid oedd neb yn y Cadno ar ôl 7.45, pan aeth y diffynnydd â'i fam i Bendein, nes cyrraedd yn ôl gyda'i dad a'i fam ar ôl 10.20. Ynglŷn â thystiolaeth y tri a fynnai ei fod allan ar ôl hanner nos ar Hydref 16eg yng nghyfeiriad Llangynin, gallai derbyn hynny greu problem ddyrys i'r rheithgor.

'Os byddwch yn penderfynu ei fod allan,' dadleuodd y Barnwr, 'sut mae esbonio i ble'r oedd yn mynd? Ac i ba ddiben? Mae ef yn gwadu'n daer ei fod allan.

'Byddwch yn deg yn tybio, aelodau'r rheithgor, fod tystiolaeth Rowland James, a aeth i'r Derlwyn i ffureta fore Sadwrn, Hydref 17eg, o bwysigrwydd eithriadol.

'Wedi clywed y dystiolaeth, a dybiwch chwi fod Mr a Mrs John Harries yn y tŷ am 8.30? Neu ynteu a oedden nhw wedi ymadael? Fe glywsoch dystiolaeth y cyhuddiedig. Roedd ef yn dweud eu bod yn y Derlwyn nes iddo fynd i'w cyrchu oddeutu 10.30 y bore. Os yw stori'r cyhuddiedig yn wir eu bod yn bwriadu mynd am wyliau y diwrnod hwnnw, ydych chwi'n meddwl y byddai'n debygol iddyn nhw fod yn eu gwelyau am 8.30 ar fore felly? A gredwch chwi am John Harries, a oedd yn rheolaidd yn godro'i wartheg am saith y bore, y byddai *heb* eu godro am 8.30 ar yr union ddydd yr oedden nhw'n mynd i ffwrdd am wyliau?'

Ar ôl cwrs fel yna o resymu caled, ris ar ôl gris, ar y mater uchod, cyfeiriodd y Barnwr Havers at y cyhuddiadau a anelodd Ronald Harries at Mrs Powell; gofidiai hefyd na bu modd i'r cwnsler dros yr amddiffyniad ei chroesholi . . . Wrth sôn am fymryn o anghysondeb yn nhystiolaeth ei mab, Brian, priodolodd y Barnwr hynny i'w oedran fel bachgen, ac y byddai arno beth cywilydd gorfod cyfaddef wrth yr heddlu ynglŷn â'r rheibio a fu ar rai eitemau yng nghegin Derlwyn . . .

Fel y tynnai tua therfyn ei waith yn cribo trwy'r cyfan a draethwyd yn ystod y chwe diwrnod y bu'r brawdlys yn eistedd, pwysodd y Barnwr ymhellach ar i'r rheithgor ystyried a oedd ymddygiad Ronald Harries yn y Derlwyn yn gydnaws ag un oedd yn gofalu'n annwyl dros eiddo'i berthnasau . . . ym mhle'r oedd y ddau am 8.30 y bore hwnnw pan alwodd Rowland James yno? Ar wahân i'r cyhuddiedig, sut y digwyddodd pethau fod fel na welodd undyn byw y cwpwl yng Nghaerfyrddin ar fore'r 17eg o Hydref? Unwaith yn rhagor, nododd fod mater newid siec naw punt i naw cant a naw o bunnoedd yn un tra phwysig wrth gloriannu pethau.

'Ac fel yna y mae hi,' meddai'r Barnwr. 'Ar ôl mantoli tystiolaeth y Goron, ac un yr amddiffyniad, fy nyletswydd i yn awr yw galw arnoch fel rheithgor i encilio i ystyried holl dystiolaethau'r ddwy ochr. Ac wedi ystyriaeth deg, penderfynu wedi'r dystiolaeth a ydych yn cael Thomas Ronald Lewis Harries yn euog ai yn ddieuog o lofruddio John a Phoebe Harries yn ôl y cyhuddiad.'

Dyna eiriau olaf y Barnwr Havers wrth grynhoi'r achos er budd y rheithgor. Er pan agorwyd y brawdlys y bore hwnnw, bu'r Barnwr wrthi'n dadansoddi'r holl achos, dafell wrth dafell, heb anwybyddu'r briwsionyn lleiaf; wrthi'n pwysleisio ffeithiau, yn nodi amheuon a chynnig cynghorion. Gwnaeth ymdrech arwrol i barchu dadleuon yr erlyniad yn ogystal â rhai'r amddiffyniad, gan ddangos cryfder a gwendid y naill ochr fel y llall.

Wedi ymresymu'n ddyfal felly awr ar ôl awr, roedd yn anodd credu ei bod hi bellach yn chwarter wedi pedwar yn y pnawn.

Tybed a ddôi pen ar bopeth y diwrnod hwnnw cyn iddi nosi?

18

Cyn i'r cynulliad gael egwyl i ymlacio, cerddodd heddferch a phlismon ymlaen a chodi Beibl yn eu deheulaw ar gyfer tyngu llw o dan gyfarwyddyd Clerc y llys, Mr John Morgan. Fel y mae llw arbennig ar gyfer tyst, ac un arall meithach ar gyfer pob aelod o'r rheithgor, y mae llw arbennig yn ogystal ar gyfer y swyddogion a ddewisir i warchod aelodau'r rheithgor tra byddant yn yr encil gyda'u tasg bwysfawr o benderfynu ar eu dyfarniad. Fel hyn y llefarodd y ddau o'r heddlu a ddaeth ymlaen y pnawn hwnnw:

'Tyngaf gerbron Duw Hollalluog y byddaf yn cadw'r rheithgor hwn mewn man preifat a hwylus. Ni fyddaf yn caniatáu i un person siarad â hwy, ac ni fyddaf i fy hunan yn siarad â hwy ynglŷn â'r prawf hwn heddiw heb ganiatâd y Llys, ar wahân i ofyn a ydynt yn gytûn yn eu dyfarniad.'

Ar ôl i'r ddau swyddog dyngu felly, enciliodd y deuddeg rheithiwr, dwy wraig a deg dyn, i'r ystafell a neilltuwyd ar eu cyfer.

Am y tro cyntaf ers agor y Cwrt Mawr ddechrau'r wythnos cynt, gellid dweud bellach fod y brawdlys yn troi'n wag. O leiaf, nid oedd na chyhuddiedig na thyst na chyfreithiwr na chlerc yn torri gair o unrhyw lwyfan. Roedd y bwlch lle bu'r rheithgor yn gwrando mor ddyfal, bellach yn boenus o amlwg. Nid oedd yno ond meinciau gweigion a distaw yn graddol oeri.

Pan geir llond neuadd o bobl, gall distawrwydd gor-faith dueddu i beri anghysur. Ac yr oedd rhyw anniddigrwydd felly i'w deimlo yn ystod y munudau hynny yn Neuadd y Dref, Caerfyrddin. Ond o dipyn i beth, dechreuodd ambell un sibrwd, un arall ystwyrian, ac yn raddol roedd pawb wrthi'n trin ac yn trafod, a'r siarad wedi codi'n furmur trwy'r lle i gyd. Roedd y mwstwr yn mynd a dod fel ton yn ysgubo'n dyrfus dros draeth cyn cilio'n ôl a distewi drachefn. Pan ddôi'r egwyl dawel, gellid ymdeimlo â thyndra'r cynulliad unwaith eto. Bron na ellid darllen meddyliau'r bobl yn y brawdlys: tybed am faint o amser y byddai y rheithgor wrthi'n cloriannu? Beth fyddai'r dyfarniad ganddyn nhw? Tybed sut oedd y teuluoedd ar ddwy ochr yr enbydrwydd yn teimlo? Ac yn bennaf, efallai, beth oedd yn mynd trwy feddwl y carcharor ar ôl hyn oll?

Aeth hanner awr faith heibio. Aeth hanner awr arall heibio, ac ymddangosai honno'n feithach fyth. Chwarter awr wedyn ar ben hynny. A oedd yn bosibl y byddai'r rheithgor yn gorfod aros noson arall cyn medru dod i ben â'u gorchwyl enbyd? Erbyn hyn roedd yr amser yn llusgo fel artaith dros bawb. Ond yna'n sydyn, agorwyd y drws a cherddodd y rheithwyr i lawr tua'u seddau.

Buont yn yr ystafell encil am awr a chwe munud ar hugain.

Roedd y distawrwydd a ddaeth dros y brawdlys yn annirnadwy, yn rhywbeth a oedd ar ffiniau'r brawychus. Cododd Clerc y Llys yn araf, a gofyn,

'Ydych chwi wedi dewis pen-rheithiwr?'

'Ydym,' atebodd y gŵr etholedig.

'Aelodau'r rheithgor, ydych chwi'n gytûn ar ddyfarniad?'

'Ydym.'

'Ydych chwi'n cael y carcharor yn euog, ai yn ddieuog?'

'Euog.'

'Ai honno yw dedfryd pob un ohonoch?'

'Ie.'

Troes Clerc y Llys at y diffynnydd a dweud,

'Thomas Ronald Lewis Harries, mae'r rheithgor wedi'ch cael yn euog o lofruddio John a Phoebe Harries. Oes yna unrhyw beth y carech ei ddweud cyn i'm Harglwydd eich dedfrydu yn ôl y gyfraith?'

Cododd Ronald Harries ar ei draed, ei wyneb yn writgoch, ond yn ddigyffro yn ôl pob golwg, ac meddai, 'Nid wy'n euog. Mae fy nghydwybod yn dawel.'

Wedi hynny, fe'i hanerchwyd gan y Barnwr Havers,

'Thomas Ronald Lewis Harries, gyda thoreth o dystiolaeth, mae'r rheithgor wedi'ch canfod yn euog o lofruddiaeth. Ni fedrodd neb a glywodd y dystiolaeth yn yr achos hwn beidio â chael ei frawychu gan greulondeb dideimlad y trosedd y bu i chwi'i gyflawni. Mae'r gosb am lofruddio wedi cael ei rhagnodi yn ôl y gyfraith. Fy nyletswydd yw cyhoeddi dedfryd marwolaeth arnoch chwi.'

Yn y munudau dramatig hynny, cydiodd Clerc y Barnwr mewn capan du, a'i osod yn bwyllog ar berwig y Barnwr Havers. Yna, edrychodd y Barnwr i gyfeiriad y carcharor, a chyhoeddi,

'Thomas Ronald Lewis Harries, rydych i gael eich cludo o'r llys hwn i fan lle'ch cedwir yn ôl y gyfraith, pryd, ar derfyn yr amser penodedig, y byddwch yn cael eich crogi . . .'

Ar yr eiliadau iasoer hynny, bron na ellid clywed y cynulliad yn tynnu anadl hirllaes, ond yna, torrodd llais y caplan ar glyw'r Neuadd, yn pledio'r frawddeg honno,

'A bydded i'r Arglwydd drugarhau wrth dy enaid.'

Trwy gydol hyn oll, roedd Ronald Harries wedi sefyll gan edrych yn syn ar y Barnwr. Yna'n sydyn, trodd i gamu allan o'r doc, ac yng ngŵydd ei wardeniaid, diflannodd i lawr y grisiau tua'r gell oedd o dan y Neuadd.

Ar ôl iddo ymadael felly, cyfarchodd y Barnwr gwnsler y Frenhines: 'Mr Edmund-Davies,' meddai, 'rwy'n teimlo y dylid rhoi clod i effeithlonrwydd mawr, ac i ddawn yr heddlu i gyd wrth ymchwilio i'r achos hwn. Mae'n dweud yn dda, nid yn unig am heddlu'r sir hon, ond hefyd am y rhai a fu'n cynrychioli Scotland Yard yn yr ymchwiliadau. Rwy'n gobeithio y bydd y sylwadau yma gennyf yn cael eu trosglwyddo i'r mannau perthnasol.'

'Byddaf yn gofalu, f'Arglwydd, y bydd yr awdurdodau hynny'n clywed eich sylwadau mewn da bryd,' atebodd Edmund-Davies.

Yna, trodd y Barnwr at y rheithgor, a diolch iddynt hwythau am eu sylw a'u gwasanaeth trwy gydol yr hyn a fu yn wrandawiad hirfaith iawn. Wedi hynny, cyhoeddodd ei fod yn eu rhyddhau o'u cyfrifoldeb.

Ac felly daeth y Cwrt Mawr yng Nghaerfyrddin i ben.

* * *

Roedd hi'n fin nos tywyll pan ddygwyd Ronald Harries allan o Neuadd y Sir, a hynny ynghlwm, arddwrn-yng-ngarddwrn wrth warden. Fel yr aed ag ef i gerbyd arbennig carchar Abertawe, clywyd hwtian cannoedd o leisiau. Yn ôl chwilfrydedd anesgor y natur ddynol, tybir fod tyrfa o bum mil wedi ymwasgu o gwmpas y sgwâr, gyda phlismyn ar bob llaw yn gwarchod y fintai aflonydd a oedd yn ysu am gael un cip ar y carcharor.

* * *

Ar Ebrill 12fed 1954, yn Llys Apeliadau Troseddol yn y Strand, Llundain, ymddangosodd Ronald Harries gyda'i gwnsler, Vincent Lloyd Jones, i gyflwyno apêl yn erbyn dyfarniad y brawdlys yng Nghaerfyrddin. Y cadeirydd oedd yr Arglwydd Brif Ustus Goddard, ac yn eistedd ar fainc y Llys yr oedd y Barnwr Pearson a'r Barnwr Hallett.

Wedi gwrando ar yr apêl, ni ddewisodd y Llys glywed Herbert Edmund-Davies a oedd yno ar ran y Goron, am i'r apêl gael ei gwrthod yn bendant.

Pan aed â Harries yn ôl i garchar Abertawe, yn y man daeth cyhoeddiad mai Ebrill 28ain 1954 fyddai dydd ei ddienyddio.

Ar Ebrill 26ain, aeth D. Myrddin Thomas, cyfreithiwr Ronald Harries, at yr Ysgrifennydd Cartref i bledio am Bardwn y Frenhines i'r carcharor. Daeth ateb buan yn egluro bod yr Ysgrifennydd Cartref wedi rhoi ystyriaeth deg a chyflawn i'r cais, ond na allai ganfod rheswm dros newid y dyfarniad gwreiddiol yn ôl y gyfraith.

* * *

Popeth a ddyry dyn am ei einioes, meddai'r ddihareb. Yn naturiol, nid oedd Ronnie Harries yn wahanol i'r gweddill yn hynny o beth. Gwyddai fod y naill gais ar ôl y llall am drugaredd wedi cael eu gwrthod. Bellach, a'r diwedd ond ychydig oriau rownd y gornel, gwyddai y byddai'n wynebu'r crocbren fore trannoeth. Ond cyn y trannoeth iasol hwnnw, tybed a fedrai roi un cynnig arall ar ohirio pethau, a dyfeisio ffordd ymwared iddo'i hunan?

Ddiwedd y pnawn hwnnw, roedd swyddog wrth ei ddyletswyddau yng ngharchar Abertawe, a thystiodd ef wrth gyfaill yn yr heddlu fod Ronald Harries yn sydyn wedi gofyn iddo am bapur a biro. Pan ganiatawyd ei gais, aeth y carcharor ati'n wyllt i sgrifennu datganiad munud olaf ynglŷn â'i achos.

O'r diwedd, wedi bod wrthi'n sgriblan, yn croesi allan ac ailysgrifennu, estynnodd y papur i'r swyddog, ac aeth yntau ag ef at y pennaeth. Y syndod ynghylch y datganiad hwnnw oedd yr awgrym ynddo fod dau arall (ffrindiau agos, onid perthnasau yn wir) wedi gweithredu gydag ef ar nos y llofruddio.

Trosglwyddwyd yr wybodaeth gynhyrfus honno ar unwaith i Lundain er mwyn i'r Gweinidog Cartref a'i swyddogion astudio'r neges yn ddiymdroi. Yn anffodus i'r troseddwr, roedd yr awdurdodau wedi hen gyfarwyddo â'i fympwyon i nyddu dychmygion a chelwyddau, a phrin y bu i'r ymgais hwyrol honno dwyllo neb.

Yn awr, petai rhithyn o wirionedd yn yr honiad, oni fyddai Harries wedi datgelu hynny i'w gyfreithiwr fisoedd lawer ynghynt pan oedd y rhwyd yn dechrau cau amdano? Ac os oedd yr honiad yn wir, oni fyddai'r truan yn sicr o ofyn pam y dylasai ef, Ronnie Cadno, gario'r cyfan o'r trymlwyth ar ei ben ei hunan bach? Gyda'i fywyd yn y fantol, onid naturiol a fyddai iddo fynnu llusgo'r 'ffrindiau' hefyd i lawr i'w ganlyn?

Ni chymerodd yr awdurdodau yn Llundain y sylw lleiaf o'r abwyd oedd yn y datganiad eithafol a ddaeth o gell y llofrudd yn Abertawe. Ac felly, meddai'r heddwas a glywodd y stori hon, cafwyd neges fuan oddi wrth y Gweinidog Cartref—un frawddeg egr o blaen: *Put him down at nine o'clock as arranged.*

* * *

Am naw o'r gloch ar fore Ebrill yr 28ain 1954, cafodd Ronald Harries ei ddienyddio, ac yna'i gladdu o fewn muriau carchar Abertawe.

Fel y bu pobl yn tyrru i sgwâr Caerfyrddin ar ddiwrnod ola'r brawdlys, amlygwyd yr un chwilfrydedd yn ogystal ar fore'r dienyddio. Ddwyawr cyn y gweinyddiad erchyll hwnnw, roedd tyrfa o gryn ddau gant wedi tyrru o gwmpas carchar Abertawe. O fewn ychydig funudau i naw o'r gloch, arafodd injan drên ar ei thaith, ac yna stopio ar y mymryn codiad tir sydd uwchlaw'r carchar. Ac o'r llecyn hwnnw, safai criw y trên gan syllu'n graff i gyfeiriad mangre'r dienyddio, a'r ystafell ddirgel.

O'r tu fewn i'r ystafell adwythig honno, roedd nifer dethol o wŷr proffesiynol, rhai fel llywodraethwr y carchar, caplan, ustus, a meddyg gyda phob un wrth law i weini yn ôl gofynion ei swydd. Toc ar ôl deng munud wedi naw, daeth swyddog i'r amlwg, a gosod dau hysbysiad ar ddrws allanol y carchar, y naill yn cyhoeddi fod y dienyddio wedi'i gyflawni, a'r llall yn dystiolaeth gan y meddyg fod yr einioes drosodd mwyach.

Hyd yn oed ar ôl hynny, byddai'n rhaid i gyfraith gwlad gynnal trengholiad ar yr achos gyda'r holl ffurfioldebau a oedd ynghlwm wrth eisteddiad o'r fath. Byddai'n rhaid adrodd y manylion am drosedd Ronald Harries ynghyd â'r ddedfryd a roed arno. Byddai'n rhaid cadarnhau fod y Llys Apêl yn Llundain, a'r cais am Bardwn y Frenhines wedi nacáu trugaredd i'r troseddwr. Roedd yn rhaid darllen tystiolaeth o'r dienyddio oedd newydd ddigwydd ddwyawr yn gynharach y bore hwnnw, a darllen tystysgrif archwiliad olaf y meddyg ar y corff. Bu hefyd yn rhaid i Arolygydd yr Heddlu dystio mai'r un un gŵr ag a restiwyd yn yr orsaf yn Sanclêr oedd yr un a ddienyddiwyd y bore hwnnw.

Roedd rheithgor o wyth mewn nifer yn gorfod trafod ac ystyried y cyfan oll yn ffurfiol fanwl cyn cyhoeddi dedfryd y cwest, sef i'r farwolaeth trwy grogi gael ei gweini mor 'ddoeth' ag oedd modd.

'Mor *ddoeth*'? Prin fy mod wedi llwyddo i gyfieithu'n union gywir yn y fan yna. Meddyliais a fyddai 'mor *bwyllog*' neu 'mor *weddaidd*' yn well cynnig. Ond rwy'n cael fod rhywbeth yn llithrig yn y gair 'gweddaidd' hefyd, yn arbennig yng nghyswllt crogi dyn. Geiriad y gyfraith ynghylch y digwyddiad oedd *carried out judiciously*. Yn ôl yr *Oxford Dictionary*, ystyr *judicious* yw *sensible, prudent, sound in discernment and judgement*.

Er bod geiriau fel *sensible* a *prudent* yn fy ngadael yn anesmwyth ar fater mor derfynol â chrogi dyn, eto mae ochr arall y ddadl yn fy ngadael yr un mor anesmwyth. Mewn sobrwydd, tybed beth yw'r ateb i rai fel Brady a Hindley a fu'n llofruddio plant bach, a'u claddu ar y comin melltigaid hwnnw? Neu'r sawl a osododd fom yn yr awyren *Pan-Am* adeg trychineb Lockerbie? Neu'r llaw a adawodd y bom honno i ffrwydro yn Enniskillen, a chreu lladdfa alaethus?

Onid yw'n anfesurol bwysig fod yn rhaid i gyfraith gwlad gadw personau dinistriol fel hyn yn ddiogel o afael y cyhoedd? Ym mlynyddoedd y chwedegau, fe basiwyd i ddiddymu'r gosb eithaf, er nad yw'r gyfraith yn derfynol eglur hyd yn oed eto ar rai achosion sy'n cael eu hystyried yn gwbl eithriadol.

O'm profiad fel ditectif, bûm yn delio â rhai pobl a oedd yn llythrennol fel bwystfilod rheibus. Beth y gellir ei wneud â diafoliaid felly? Gwn ei fod yn drist o wir i ambell un gael ei grogi ac yna, er bythol gywilydd i gyfraith gwlad, iddynt gael eu profi'n ddieuog yn ddiweddarach. Erbyn hynny, wrth gwrs, roedd hi'n rhy hwyr. Pa ryfedd felly fod pobl ar ddwy ochr y ddadl ynghylch crogi yn teimlo'n anesmwyth?

Credaf ein bod oll yn gytûn ar un peth o leiaf: fod gwaith dofi anhygoel arnom fel dynoliaeth. Yn lle 'fel dynoliaeth', bu agos imi ysgrifennu 'fel *gwareiddiad*'. Nes cofio mor bell ydym o hyd o'r bywyd gwir waraidd.

Yn y cyswllt hwn, daw Mahatma Gandhi i'm meddwl, a'r modd y bu iddo ef ymroi i gael gafael ar warineb mewn dyrys fyd fel hwn. Er mai Hindŵ ydoedd yn ei broffes, byddai'n byw a bod yn y Testament Newydd, ac yn fythol barod i arddel ysbryd cariad. 'Dau beth ar wahân yw dyn a'i weithredoedd,' meddai Gandhi. 'Casewch y pechod, ac nid y pechadur.' Un tro yn

Llundain, pan ofynnwyd ei farn am 'wareiddiad' y Gorllewin, ei ateb oedd: 'Rwy'n hoff o'ch Crist, ond nid o'ch Cristionogaeth.'

Cofiaf edrych yn hir ar ffotograff oedd yn dangos holl eiddo personol Gandhi. Prin ddwsin o eitemau oedd ganddo ar ei elw: dwy bowlen, llwy, cyllell, nodlyfr, ei 'feibl', oriawr, sbectol, dysgl fetel a deubar o sandalau—un pâr wedi'i wneud o ledr, a'r llall yn ddim ond gwadnau moel o bren. Dyna'r cyfan, ar wahân i un eitem arall dra hynod, sef cerfiad bychan, bach o dri mwnci.

Mae'r cerfiad hwnnw'n un pur enwog, a gellir ei gael yn eithaf rhwydd ar hyd a lled y byd: tri mwnci bach yn eistedd ochr-yn-ochr yn glòs iawn at ei gilydd. Mae'r un ar y dde â'i ddwylo dros ei glustiau—fel na all glywed; mae'r un canol â'i ddwylo dros ei lygaid—fel na all weld; a'r un ar y chwith â'i ddwylo dros ei safn—fel na all siarad. Sut bynnag y mae dehongli neges y tri mwnci bach, hanfod y peth yw clywed dim, gweld dim, a dweud dim. Tybed beth oedd apêl y drindod fwncïaidd hon at enaid mawr Gandhi?

Ar un wedd, gellir dadlau fod gwaith ditectif yn hollol groes i'r tair egwyddor uchod, a'i fod ef am fynnu clywed pob peth, gweld pob peth, ac am ddweud pob peth. Ond eto, ar wedd arall, ni synnwn fymryn nad yw'r ditectif ar brydiau yn ymddangos, o leiaf, fel petai'n ymgorfforiad o'r tair egwyddor a grybwyllwyd. Ar rai adegau, ymddengys y ditectif fel pe na bai wedi clywed dim, na gweld dim, ac nad yw am ddweud dim ychwaith.

Ar ôl dod i ben â'i lafur yn 'hela'r cadno', aeth y ditectif John Capstick ati i gasglu ei bethau ynghyd, codi'i bac, gadael bro Pendein a Llangynin, ac anelu tuag adre'n ôl am Loegr.

Wrth ailafael yn ei ddyletswyddau yn Scotland Yard yn Llundain, aeth i'r lifft arferol a fyddai'n ei gludo i fyny at lawr y *Murder Squad Wing,* a cherdded i'w swyddfa. Ar ei ddesg yn y fan honno, sylwodd ar barsel bychan wedi'i lapio'n ddestlus. Ar ôl agor y parsel, gwelodd mai anrheg oedd yno oddi wrth ei gyfeillion fel rhywbeth iddo'i gofio wedi'r helynt yn Sir Gâr.

Pan ddadlapiodd y papur sidan olaf, daeth i'r golwg gerfiad mewn pres disglair o'r tri mwnci bach ynghlwm wrth ei gilydd ochr-yn-ochr, a'r cyfan wedi'i sicrhau ar waelod solet o dderw. Ac ar hwnnw wedyn yr oedd plât main gyda'r geiriau: SOFTEE SOFTEE CATCHEE MONKEE.

Yn ôl un papur newydd a gafodd afael ar y stori honno, roedd yr anrheg wedi rhoi difyrrwch mawr i John Capstick, ac wedi'i blesio y tu hwnt i bob disgwyl.

19

Yn y ddeunawfed ganrif, bu'n ffasiwn gan bedleriaid grwydro'r ffeiriau yng Nghymru dan ganu eu baledi am ddigwyddiadau'r dydd. Yn dilyn hynny, byddent yn gwerthu copïau o'r faled wrth y cannoedd am geiniog neu ddwy yr un.

Gyda'r chwyldro diwydiannol, byddid yn canu am ddamweiniau yn y gweithfeydd, neu am longddrylliad ar y creigiau. Enwau hysbys ym maes y baledwyr oedd Huw Jones o Langwm, Dafydd Jones o Drefriw, Twm o'r Nant, Abel Jones (y Bardd Crwst), a Dic Dywyll a'u tebyg.

O ran difyrrwch, ceid baledi'n sôn am serch neu am dro trwstan. O ran difrifwch, ceid penillion o natur grefyddol yn siarsio pobl i unioni eu buchedd. Os digwyddai llofruddiaeth mewn ardal, byddai'r baledwr yn mynd ati i fanylu ar enbydrwydd yr hanes, byddai'n drom ei fflangell ar y troseddwr, yn cysuro'r teulu profedigaethus, ac ar y diwedd gallai gynnwys pennill i foesoli'n ddwys ynghylch y cyfan.

Er bod cyfnod y baledwyr hynny wedi hen fynd heibio, cryn syndod oedd deall fod un bardd yn Sir Gaerfyrddin oedd wedi dal ei afael ar yr hen draddodiad o'r ganrif cynt. Pan ddigwyddodd yr alaeth yn hanes gŵr a gwraig Derlwyn, aeth y bardd hwnnw ati i gyfansoddi baled am y brofedigaeth honno. Bu dosbarthu helaeth arni yn 1954, a gofalodd y bardd fod copi o'i faled yn cael ei diogelu yn ffeiliau'r heddlu.

Felly'n hollol y deuthum ar ei thraws, ac wrth ddiolch amdani, gofidiaf na wn enw'r baledwr hwn a ganodd ei gân yng nghanol yr ugeinfed ganrif, yr olaf o'i bath yn yr hen draddodiad, bid siŵr:

NOS Y BRAD

Ar noson olau leuad,
A'r hin yn ddigon ffein,
Cychwynnodd llofrudd allan
O'r Cadno ger Pendein.

Fe ddreifiodd rai milltiroedd
    A'i galon, lawn o frad,
I bentref bach Langynin
    Sy'n enwog trwy'r holl wlad.

Cyrhaeddodd y Land Rover
    I ben ei siwrnai flin,
Heb feddwl fod ei berchen
    Yn ddim byd llai na dyn.
I fuarth bach y Derlwyn
    Y tynnwyd hwn i fewn,
A'r dreifar a ddaeth allan
    Yn hy a digon ewn.

John Harries hoff a'i briod
    Yn sobr ac yn syn
Ddaeth adref gyda chwmni
    O gapel bach y Bryn;
Ac yna, yn ffarwelio
    Â'u hen gymydog cu
Yng ngŵydd ymwelydd arall,
    Â'i galon ddigon du.

Beth bynnag ddaeth i feddwl
    John Harries erbyn hyn,
A'i briod hoff, garedig,
    A'u byd yn hollol wyn,
Nid oedd o fewn eu calon
    Na dirmyg na sarhad,
Na meddwl fod eu cwmni
    O fwriad gwneud eu brad.

Ond cyn pen 'chydig ddyddiau,
    A'r wythnos ddod i ben,
Daeth tro o anesmwythder
    Dros fryniau Gwalia wen;
A chyn pen wythnos arall
    Lledaenodd dros y ffin
I Loegr draw, a'u synnu,
    Do, am y newydd blin.

Bu ymchwil mawr amdanynt
  Ymhob rhyw bant a bryn;
Roedd pawb yn syfyrdanu
  Yn enbyd erbyn hyn.
Ond drwy yr holl wythnosau
  O chwilio mwy a mwy,
Fe wyddai Ronnie Harries
  Pa le yr oeddynt hwy.

Mewn cae ar dir y Cadno,
  Mewn beddrod heb un arch
Y cuddiwyd hwy o'r golwg
  Yn ddinod a di-barch;
Ond torrwyd beddrod arall
  I'r ddau mewn dedwydd fan;
Maent heddiw'n tawel orffwys
  Ynghyd yn erw'r llan.

Heddgeidwaid Sir Gaerfyrddin
  Derfynodd orchwyl hir
O dan arweiniad Lewis,
  Prif swyddog mawr y sir;
A'r enwog ŵr, John Capstick,
  Ddaeth lawr o Scotland Yard,
A'r Sergeant Billy Heddon
  Fu'n ffyddlon ar y 'guard'.

Maent hwythau erbyn heddiw
  Yn dawel a di-frys,
A phawb o'r cwmni'n fodlon
  Ar ddedfryd deg y Llys.
Os arian wnaeth ei demtio
  Yn bump ar hugain oed,
Mae'n rhybudd mawr i'r ienctid
  I ochel ôl ei droed.

Am bum niwrnod hirfaith
  Yn neuadd fawr y dre,
Bu'n gwrando ar y tystion
  Yn nodi'r fan a'r lle;

A phopeth a ddywedodd
    Wrth rhain yn un ac un
A ddaeth gerbron y Barnwr
    Wrth draethu'r hanes blin.

Am ddau ddiwrnod arall
    Croesholwyd ef yn hy,
Ond taerodd hyd y diwedd—
    'Dieuog ydwyf fi.'
Wynebodd ar y ddedfryd
    Yn ddewr a digon syn,
Gan ddweud, 'Nid wyf yn euog,
    Mae Duw yn dyst o hyn.'

Roedd hwn, fel llawer arall,
    Yn faban hoff, dinam,
Ei feithrin hwyr a bore
    Oedd pleser mwya'i fam;
A hithau'n ddiarwybod
    O'i holl ddyfodol ef,
A'i lwybr tua'r crocbren
    I aros barn y nef.

Mis Ebrill ddaeth â'i fwyniant
    Yn amlwg ar bob llaw,
Tra Ronnie yn y carchar
    Yn Abertawe draw;
Yr wythfed dydd ar hugain
    A wawriodd mewn tristâd
I bawb oedd annwyl iddo
    Ar fferm ei fam a'i dad.

Mae'n amlwg fod y baledwr yn gyfarwydd â'r helynt drwodd a thro. Roedd yn gallu dyfynnu enwau gwŷr yr heddlu a fu'n gweithio i ddatrys y dirgelwch; rhai fel T. H. Lewis, 'prif swyddog mawr y sir', a Capstick a Heddon. Roedd hefyd yn gwybod am fan a lle ar hyd y bröydd, gan gyfeirio at y rheini wrth eu henwau, fel addoldy'r Bedyddwyr, sef 'capel bach y

Bryn'. Sonia am fferm y 'Cadno ger Pendein'. Ac wrth gwrs, fe wyddai am bentre Llangynin lle'r oedd 'buarth bach y Derlwyn'.

Ond tybed a wyddai'r baledwr yr hyn a ddywedodd cyfaill wrthyf fel yr oeddwn yn gweithio ar y llyfr hwn? Eglurodd ef mai tafarn oedd y Derlwyn yn yr amser pell a fu. A'r syndod yw mai enw'r hen dafarn yn y cyfnod hwnnw oedd 'Fox'. Onid yw'r cyd-ddigwyddiad yn anhygoel pan ellir tybio i'r 'cadno' fod o gwmpas y tŷ hwnnw dro maith cyn i 'Derlwyn' ddod yn enw arno o gwbl?

Fodd bynnag, wrth dynnu tua diwedd ei gân drom, dymuna'r baledwr ar i Dduw fod yn gysur i'r perthnasau a gafodd eu hysigo yn y trallod hwn. Ar y terfyn, wedi enwi rhai aelodau o'r teulu, mae'n erfyn am gysgod y nef drostynt:

Boed Duw yn noddfa iddynt
  Mewn profedigaeth ddu;
Rhoed olau ar bob cwmwl
  Disgleiried ar bob tŷ.

Wrth gofnodi'r hanes trist yn y gyfrol hon, ni allaf innau ond ategu'r bardd, a dymuno'r un fendith ar y calonnau a ddoluriwyd mor ddwys yng ngwaelod Sir Gâr dros ddeugain mlynedd yn ôl.